桃花朵朵

All Love is Secret

你是溫暖的日光，
在我生命裡開出朵朵桃花，
從此花開不謝。

好象熊——著

第一章　租一個男友

夏日，是四季中最魔鬼的季節。炎熱的氣溫搭配喧嘩的蟬鳴，彷彿能讓人類在下一秒蒸發。

我喝了一口冰水，有些心不在焉，歪著頭傾聽坐在我面前的麻清栩講話。

「方可耕，妳有在聽我說話嗎？」或許是我走神得太明顯，麻清栩皺著眉抱怨，「我在跟妳說很重要的事呢。」

「你說你說，我有在聽。」

麻清栩瞇起眼睛，似乎在懷疑我的專心程度，「我是要問妳，大學畢業後要不要跟我一起去美國？」

「美國？」

「對啊，我們一起去美國讀研究所，怎樣？」

「我、我沒想過……去美國要花好多錢，我應該沒辦法去吧。」

「依照妳的成績，申請校內的補助獎學金到美國的姊妹校就讀，應該很容易吧？

只要妳願意申請，我們可以一起跑流程啊。」

我張開嘴，想著該用什麼藉口委婉拒絕他的邀請。

「妳不想去嗎？是不是捨不得家人？不過我們讀電機系的，去美國深造讀書，對未來就業很加分。」

「我沒有不想去……只是之前沒想過，所以……可能要給我一點時間來思考一下。」

厤清栩咧嘴燦笑，「那妳得想快一點，申請獎學金的截止日快到了，妳要是再拖拖拉拉，到時候想去都來不及！」

看著這樣陽光燦爛的厤清栩，我的心微微抽搐，忍不住問：「你很想去美國讀書嗎？」

「唔，說期待也沒那麼期待，就是覺得我們應該去喝一喝洋墨水。我姊和姊夫也在美國呀，我們去那裡不用害怕沒人照應。」

「那你要出國，怎麼不邀葉凱娣呢？」

「葉凱娣？我邀她幹麼？她成績比我還爛，申請不上獎學金吧。」

「不是……」你不是喜歡人家嗎？

「況且她一副就是生活不能自理的樣子，我邀她出國，到國外去豈不是自找苦吃？要找，就要找妳這種能互相扶持的好哥們兒。」

好哥們兒你妹。

「妳放心，到國外我也不會欺負妳的。」麻清栩說完，看了一下腕上的手錶，「欸，我跟阿春約了一點打球，先走啦。」

「你——你一點去打球，不會中暑嗎？」他匆匆忙忙要趕往籃球場前，我一手拉住他的衣袖，一手從背包掏出剛買的瓶裝水，「不要光耍帥，記得要多補充水分。」

麻清栩接過我給他的水，笑意更加濃厚，「謝謝啊！唉呦，這就是我一定要邀妳去美國的理由。妳人太好啦，跟妳一塊去，我什麼都不用擔心！我來不及了，走嘍，掰！」

我坐在原位，看著他離去的背影，感到茫然又無措。

是啊，我人太好了，才會一直縱容麻清栩在我身邊耍廢。

可是，他不知道，也不理解，我對他的好是出自於喜歡。

把他放在心尖上，又苦又甜，靠著淚水與歡笑，維持這份暗戀。

但對他來說，我只是個萬用工具人，是必須謹守防線的「哥們兒」。

可以給予關心、照顧和溫暖，卻不能越界太多。

喜歡一個人，真是太難了。

而我在這條艱難的道路上，走了好多年。

如果我學會健忘，會不會就能夠忘記喜歡上他的感覺？忘記心跳失速的滋味？

又或許，我可以模糊那年盛夏，他出現在我眼前，英姿颯爽的身影。

可我嘗試了好多年，久到都忘了自己是什麼樣的人，他仍頑強地在我腦海裡扎根，好似一輩子都不打算走。

❀

「方可緋！妳到底有沒有在聽我說話？別以為妳現在沒坐在我面前，我就不知道妳又在分心！」

電話那頭的咆哮，讓神遊回到大學時期的我嚇了一跳，不得不佩服我老媽都快五十歲了，聲音還是這麼爽朗宏亮，比我還有精神。

「我沒有分心。」我只是沒在聽。

「騙誰呢！每次只要跟妳催婚，妳就這樣不放在心上，根本沒在聽！」

是很有自知之明，那幹麼不放過我，非要年年催我婚？

「媽，我不是不放在心上，是我工作太忙了，根本沒空談戀愛。妳也知道我很忙，幹麼非要逼我？」

「我沒逼妳啊，我希望妳結婚怎麼算是逼呢？是為妳著想！也不想想看，妳都二十八歲了，還不結婚是要等之後變成高齡產婦嗎？」

「現在二十八歲還沒結婚的人也很多，我好幾個同學都還是光棍呢！」

「那妳去跟他們其中一個湊成一對啊！有那麼多男同學，怎麼就不懂得好好把握？」

「不是……媽！他們都是一群宅男，我帶哪個回去，依照妳的審美標準都不會滿意。而且我也會挑好嗎？沒那麼飢不擇食。」

「那妳就去挑一個，我滿意，妳也滿意的啊！」

我發現我媽的邏輯真是一百分，時常迴旋得讓我猝不及防，只能無奈長嘆：「媽！這事情沒這麼容易！我說過了我工作很忙，忙忙忙忙忙！結婚之前要談戀愛，我就沒時間找對象嘛。」

「好，妳說妳沒時間找對象，那我替妳找如何？妳週末給我空下來，我安排妳去相親。妳陳阿姨前些天跟我說了，她那邊有個屬雞的T大碩士班畢業高材生，想要找老婆，妳跟他是校友，應該聊得來吧？」

又來了，繞了這麼一大圈，還不是要我去相親！

「我不去！陳阿姨每次介紹的對象，不是長得太醜，就是比我還矮，我一點都不喜歡！」

「妳這孩子怎麼這麼挑剔！人不能只看外貌，必須看內在！」

我他媽只跟對方吃飯一個小時，是要怎麼看到對方的內在？當然是以外貌決勝負啊！以為我是能穿透一切的X光機哦。況且，我就不相信，如果我今天是個長滿痘痘的大肥豬，對方也有閒情逸致，陪我慢慢閒聊、吃午餐。

「媽，硬要我說，他們的內在也不怎麼樣啊。上次那個，我一坐下來他就跟我說黃色笑話，我沒告他性騷擾就是對妳跟陳阿姨的尊重。上上次那個更誇張，我人都還沒坐下，他就開始批評我的衣著打扮，還問我之後結婚生小孩，能不能夠為了家庭辭職。還有，上上上次那個──」

「方可緋，不要跟我翻舊帳！這次的不一樣，我看了對方的照片，人長得很帥很斯文，身高一百八，絕對比妳高！個性方面，聽說他雖然不苟言笑，但觀察入微，時常會有體貼之舉。」

「我就是不相信，這麼好的人陳阿姨會介紹給我。」

「妳陳阿姨是八卦了一點，但人還是很好的，不可以這樣懷疑她！」

就是人太好太熱情，才會一直想當媒婆。

「我不管，下禮拜天，妳沒帶男朋友回家，就給我去相親！要是妳兩樣都沒做，我就去妳租屋處把妳逮回來！」不等我拒絕，老媽立即把電話掛斷。

我仰起頭，嘆了一口長長的氣，感嘆人生艱難，當女兒真不容易。

「小緋，妳媽又打來催婚啦？」坐在隔壁的同事張芝安一臉好奇地湊到我身邊。

「對……」我媽的嗓門太宏亮，哪怕我的音量開得再小，方圓百里都還能從話筒聽到她的聲音。所以，她催婚不是新聞，安排相親也不是新鮮事，就是個笑柄，讓大家都知道我嫁不出去，還有個恨不得把女兒嫁出去的老媽。

「我算一算日子，也猜妳媽要打過來了，沒想到還真的是。」

「妳這麼厲害，怎麼不去卜卦當國師？算我媽何時打電話來電我幹麼？」

「算妳媽何時打電話過來很有趣嘛。」

我想張芝安絕對是陳阿姨失散多年的親生女兒，八卦的靈魂如星火般，怎麼燒都燒不完。

「欸，上次我們去聯誼，不是有個男的對妳很有好感？妳怎麼不跟他試一下？」

「哪個男的？」

「就坐在妳對面，一直問妳喜歡吃什麼的那個啊。」

聽她這麼一說，我回想起上禮拜我跟張芝安濫竽充數，跑去參加百貨公司櫃姐們與科技新貴的聯誼。

那些男人究竟是不是新貴還有待商榷，但我能確定其中有好幾個騙子，專門用一些稀奇古怪且毫無邏輯的話術，誆騙文組女生。

其中最純潔無瑕的，大概就是坐在我對面，在台X電工作的爆肝系草食男。

整頓晚餐，他都在問我的喜好，恨不得把我所有的答案記在小本本裡，當未來的作戰手冊。

「哦，他啊。」

「怎麼了？妳不喜歡嗎？他的衣著和打扮是比較保守，可五官端正、工作不錯，有錢有顏，也算是同行，能體諒我們時不時的加班。這樣的人，是不錯的對象吧？」

「他不行。」

「爲什麼？」

「因爲他是個媽寶。而且，我懷疑他有嚴重的戀母情結。」

「咦？眞的假的？妳怎麼看出來的啊？」

「那天他一直問我的喜好，我想說讓他熱臉貼冷屁股也不好，就反問他爲什麼左手一直拿著手機不放，是不是有工作要忙？」

「結果他回答我，他在告訴他媽今天聯誼吃了什麼、喝了什麼、聊了什麼。然後，把我們聊天的內容，全部告訴他媽。」

張芝安倒抽一口冷氣，接著問：「那妳怎麼知道他有戀母情結？」

「因爲我看到他的手機桌布，是他媽的單人獨照。」

這次張芝安連抽氣都做不到，只能傻眼地看著我，「好、好噁心……」

「所以妳就不要再跟我提起他了，很可怕。」媽寶什麼的，絕對是謝絕往來的大戶。

「那妳想要去相親嗎？」

「當然不想啊，每次去相親我都覺得自己在跟外星人吃飯，總是能見到人類奇葩的一面。」

張芝安歪著頭，似乎在思索些什麼。

「幹麼？妳還要八卦多久？再不回去工作，小心今天又要加班。」

「不是，我是在想，既然那媽寶不行，妳又不想去相親，要不要租一個男人回去騙騙妳媽？」

「啊？租一個男人？妳要我去請牛郎？我才不要。」

「不是牛郎啦！妳很齷齪耶，怎麼想到的都是這樣的東西？」

「我哪裡齷齪了，分明是妳先說了奇怪的話。」

「妳是不是還活在網絡撥接的時代啊？現在有個交友APP『心燦』，官方提供租賃男友或女友的服務。」

「現在腥羶色的行業都這麼明目張膽了嗎？」

張芝安皺眉，露出「妳是不是在褻瀆我」的表情，氣憤地說：「妳的腦袋到底裝了什麼啊？這些租賃的對象，是專門陪雇主應付家中長輩，躲避各種婚配問題。租賃的售價很明確，且明文規定除了手跟腳的接觸，其他都嚴格禁止。在他們身上，還有配戴GPS裝置，隨時都有人追蹤他們的行蹤。」

「哦。」說是這麼說，但難道不會有人動歪腦筋嗎？我才不相信現代人類有這麼純潔。

「喂，這是國內合法的公司，妳不要露出這種懷疑的眼神好嗎？」

「妳這麼熟，該不會是租過？」

面對我的詢問，張芝安瞬間愣住，手足無措地辯解，但她所有的言詞，都能用「欲蓋彌彰」這四個字來形容。

最終，她放棄抵抗，承認：「唉，我是租過沒錯。」

「妳不是有男朋友嗎？還租這個做什麼？該不會妳那男朋友就是騙我們的吧？」

「才不是！是我那男朋友劈腿我一個好姊妹，我氣不過，才租了一個優質假男友去氣氣他們。」

「哪個好姊妹會搶妳的男朋友？妳是情傷太嚴重，腦子傷壞了吧？而且，妳為了氣他們還花錢租人，會不會有點太虧？」

張芝安嘟起嘴，不太高興地說：「我也知道這樣很虧，但我就是——算了，反正說了妳也不懂。」

「妳不說清楚，我怎麼會懂？」

「等我之後整理好思緒再跟妳說吧，現在的我還很混亂，不知道該怎麼面對他們。」張芝安說完，迅速轉移話題到我身上，「我親身實驗過，租賃的對象真的很不錯，也很保障彼此的人身安全，妳要不要考慮考慮？不然妳媽發瘋起來，妳絕對會比現在還要頭疼。」

此話不假，我媽的瘋，不是一般的瘋，是那種會把人吹得凌亂，久久無法回神的颶風等級。

「好，我會考慮看看……那個，租一天要多少錢啊？」

「看妳要租什麼等級的，如果是白金優質男，一天五千。」

「五千！」我瞪大雙眼，不可思議地說：「你他媽花了五千，只為了氣一個渣男和賤女？」

「謝謝妳把他們描繪得如此恰當哦。」

「妳這樣跟冤大頭有什麼兩樣？五千耶！」

「妳如果不挑的話，也能選一天兩千的普通男人啊。只是外表是胖是瘦、是矮是高、是帥是醜沒辦法跟妳保證。妳要騙妳媽，當然要找一個能說得過去的吧？」

「我們不能當外貌協會的成員。」

「我看妳就是！說不定還是比我資深的會員呢。」

這樣的指控我倒是無法反駁，只能從鼻孔呼氣。

「既然都要花錢請人了，當然要請最好的。白金優質男不只臉長得帥、身材頂呱呱，連學歷、涵養都是千挑百選的，絕對帶得出去。」聽張芝安的遊說，我都要懷疑是那APP花錢請她來推銷。

「那妳上次請的人，真的有那麼好？」

張芝安眨眨眼，雙頰浮出可疑的紅暈。

「我跟妳說，我上次請的那個人，眞的是特別特別特別帥。是那種走在路上回頭率極高的男人。」

「妳就編吧，哪有那種人。」

「我給妳看他的照片！我有偷拍他的側臉。」張芝安拿出手機，翻開相簿找出對方的照片給我看，「是不是很帥？他媽媽是俄羅斯人，五官很深邃，眼睛像有吸力，光是和他對到眼，我心臟都要麻痺了。」

「帥是帥……但妳這反應不太正常啊，是暈船了吧？」

「胡說什麼啊，我、我才沒有暈船，就是……就是覺得他很帥而已。」

放屁，我要是相信她的鬼話，我方可緋的名字乾脆倒過來寫。

「算了，妳暈不暈船也不是我能干涉的事。我剩下一個問題，就是如果他們眞的那麼優秀，爲什麼要做這種工作？以他們的能力，找一份穩定、酬勞優渥的工作不是很容易嗎？」

「這我怎麼會知道？說不定人家就是想體驗人生，看別人怎麼應付自己的家長吧。要不然，等妳租了人，自己再去問他？」

張芝安顯然是個大傻瓜。

而我聽從她的建議，願意花五千元，請一個從未見過的男人充當我的男朋友，這種行爲，也跟智障沒兩樣。

可憐啊，人被逼到絕境，不得不出此下策。

等把人帶回去給我媽看過後，就有一陣子不需要帶男人出面，接著我就可以假裝已與對方分手，情傷未了，必須暫緩談任何感情。

這樣礙於我脆弱的心靈，我媽應該不會再逼我了吧？

妙啊！感嘆我這小腦袋竟能想出如此妙計！

「抱歉，我遲到了。」

正當我垂著頭，用吸管撥弄拿鐵上方的奶泡時，我租賃的男人粉墨登場——嘶，這聲音怎麼有點熟悉？

「哇操！你怎麼會在這裡？」

一抬起頭看見來者，我的心臟差點沒麻痺，倒不是因爲對方有多好看，是這個人……這個人……

「是啊，我怎麼會在這裡呢？」

眼前的人，是我躲避N年，用盡各種理由推託，避而不見的麻清栩。

「方可緋，眞是好久不見。」

如果不是他後面幾個字，是咬牙切齒地說完，我都以爲他是來跟我敘舊的。

「妳整天跟我說沒空、要加班、要陪家人，結果妳倒是有時間跟其他男人見面？」

處於驚嚇當中的我，只能目瞪口呆地看著麻清栩，喪失說話的能力。

過了幾分鐘，我在他的眼神逼迫下，小心翼翼地問：「你……怎麼知道我要跟人見面？」

不對啊，我租的那個男人怎麼到現在還沒出現，反而是麻清栩站在我面前，陰森森地對我冷笑。我記得我們是約早上九點星巴克見啊，都什麼時候了，還趕不趕得上高鐵啊？

「我知道妳跟男人見面是重點嗎？重點是，妳怎麼可以躲我躲這麼多年，還打算繼續躲下去？」

「我、我……」世界很大，可對於「有緣人」來講，又是小得可憐。我繞了那麼一大圈，搞到最後還是在這奇異的狀態下，與麻清栩碰到面。「我是眞的很忙，除了今天，我都在加班。」

「騙！妳再騙啊！我回來都要半年了，妳這半年都沒有休息過？」

「阿栩，我承認我有躲你，但我就是心裡對你過意不去，不知道怎麼面對你，才一直沒跟你見面。」說不出更多的推託之詞，只能硬著頭皮跟他道歉：「對不起。」

麻清栩將手中的紙杯放在桌面上，拉開椅子，毫不客氣地坐下來。

「妳騙我要去美國，後來爽約的事情，我已經不在乎，也原諒妳了。」

聽他提起我們大學畢業前的往事，我的雙唇忍不住微微顫抖，愧疚地說：「對不起，我不應該騙你……不過，我今天是真的跟別人有約，過去的事，我們能之後再講清楚嗎？」

「妳說的跟別人有約，是要見從APP租賃的假男友？」麻清栩舉起手機，亮出螢幕，桌面有張芝安介紹給我的心燦APP。

我瞪大雙眼，不可思議地驚歎：「你怎麼會知道？」

麻清栩到底是哪裡來的妖魔鬼怪？我們好久不見，他卻完全掌握了我的動向，太可怕了吧……

「不用浪費時間了，妳租賃的假男友，今天不會來。」

「什麼？」我可是下了訂單，事先超商付款了耶！現在說不來，我要找誰哭去？

「我是這個APP的開發者，上禮拜我看到妳下的訂單，就把妳租賃的對象改成我。」

「麻清栩，你有病啊？我花五千租你幹麼？」我氣得想拿衛生紙丟他。

「我會把錢退給妳。」

雖然我很在乎那筆錢，但現在最重要的是：「我會租假男友，就是因爲我有重要的場合要帶他出場！你把人掉包了，我是要找誰來陪我？」

麻清栩皺眉，「妳要找人出場哪個重要場合？」

「我媽最近催婚催到走火入魔，我要帶人回去給她看啊！現在沒人了，她又會給我安排相親！」

明明有段時日不見，可不知道爲什麼，在麻清栩面前我總是很容易洩漏最眞實的情緒，連生氣都不遮掩了，扯著他的衣領想同歸於盡。

「我難道不是人嗎？」

「什麼？」他在說什麼鬼話？

「我說，我難道不是人嗎？我陪妳回去，充當妳的假男友不就好了？」

我的心跳頓時漏了一拍，「這、這怎麼可以？」

「爲什麼不可以？妳媽那麼喜歡我，妳帶我回家，她應該會很高興吧。」麻清栩看著我，像要把我整個人看透，「妳在猶豫什麼啊？難道我配不上妳？」

「不是配不配的問題……」

「比起租的男友，妳帶我回去，阿姨更能接受我吧？」

此時，我才終於仔細看了麻清栩的裝扮。

或許是有我的喜歡濾鏡加成，他的臉從國中到高中、高中到大學，再到如今，到哪裡都是人群當中最亮眼的星星。尤其是他穿了整套深藍色暗條紋的雅痞西裝，加上他認眞梳理過的髮型，實在太帥，帥得我挪不開眼睛。

「喂，妳不要傻愣愣地看著我，說話啊。」

「我媽……我媽知道我們是朋友。」

「那跟我假扮妳男朋友有衝突嗎？就說我回國後，兩個人突然有了感覺，想要談戀愛不行嗎？」

我有點抗拒，這種抗拒不是說麻清栩不好，而是他太好了，讓我更配不上他——就算是假的，也配不上。

「方可緋，妳是年紀大了，突然優柔寡斷起來了嗎？這個問題有必要想這麼久？妳不用再想了，再想就來不及趕車。」麻清栩把自己的咖啡喝完，伸手抓住我的手腕，「走吧！一起去搭車。」

「你怎麼知道我有買車票？」

他翻了一個白眼，「妳的問題怎麼這麼多啊？妳從大學養成的習慣我會不知道？而且我們老家在南部，不搭車難道要用走的？還有，妳說妳要帶人見妳媽，應該是要一起吃午餐吧？按時間來推論，現在去搭高鐵才勉強趕得上。」

所有的事情被他百分百命中，我不禁脫口而出：「你怎麼什麼都知道？是通靈王嗎？」

「通靈王？妳現在是死了是不是？」

「呸！我人好好的呢。」說完，我面對他又有點不太好意思，「你眞的要陪我回去見我媽啊？她一定會拉著你問東問西，你受得了？」

「拜託，我最會應付中年婦女了。再說，妳若過意不去，那我錢就不退妳了，就當作是妳租的那個假男友。」

「喂，那可是五千塊不是五十塊，你好意思啊？」

「我爲什麼要不好意思？妳都打算把五千塊給其他人了，給我爲什麼不行？」

我瞇起眼睛，舉起手捏了他的臉頰，「那個人跟你有一樣嗎？要不是你從中作梗，我還需要在這裡煩惱？把錢退給我，我之後請你吃一頓大餐，可以了吧？」換做是對陌生人，我就是付錢解決問題，根本不用管什麼人情事理。

偏偏這麼巧，遇上了麻清栩。

「妳說得算，妳說得都算。」麻清栩舉雙手投降，「但這位大小姐，我們快趕不上高鐵了吧？再說下去，我看明天再集合出發好了。」

爲了避免放我媽鴿子，讓她隔天搭車北上來教訓我，我與麻清栩在二十分鐘後，乘坐前往南部的高鐵。

一上車，麻清栩就拿出他的筆記型電腦，似乎是在工作。

我則微微偏過頭，偷偷注視他俊美的側臉。

「看什麼看？太久沒看，想補回來是嗎？」

或許是我看得太明目張膽，麻清栩敏銳地察覺到我的視線。

「喂，我沒說妳不能看，不准露出這種要哭不哭的表情，好像我在欺負妳似的。」

被他這麼一說，我拍了他伸過來的手，逞強道：「我哪有要哭啊！神經病哦。」

「妳眼睛紅紅的，還說沒有要哭。」他闔上電腦，把臉湊過來，咧嘴笑，「妳是不是很想我啊？想我還不跟我見面，是傻子嗎？」

我說不出「我沒有想你」這種謊話，而是垂下頭，不打算回應他。

「方可緋。」

可我不回應他，不代表麻清栩就能閉嘴。

「我原諒妳當年騙我要去美國的事，但妳能不能告訴我，爲什麼……要騙我？」

爲什麼要欺騙麻清栩？

聽到這個問題，我的腦海猛然竄出好幾個片段。

都不是什麼愉快的記憶，所以我一直不願想起。

那個意外讓我失約了，我只記得，當時放在我口袋裡的手機，一直震動，嗡嗡嗡嗡的聲音，迴響在耳邊，但我始終沒有接起……

「那幾天我打了好多通電話給妳，妳為什麼都不接啊？」面對這個問題，我明明有很多理由能說，卻沒辦法用任何一個來充當我不與他去美國的藉口。

「我……我就是，突然不想去了，又不知道該怎麼對你說，所以……所以我連接電話都不敢。」

我以為麻清栩會生氣，會罵我太自私，結果他竟然對我說——

「欸？原來是這樣，那還好，我還以為妳出了什麼事，才不能跟我一起去的呢。妳沒事真是太好了，這幾年，我一直很擔心妳，也不知道該怎麼問比較適當……」

「你不生氣啊？」我有些傻眼，抬頭看著他，像是在看外星人。

「氣啊！不過事情都過這麼久了，我也回國了，還氣當年那件事做什麼？我跟妳不是好朋友、好哥們兒嗎？生氣只是一時的，不會氣長久的啦！妳之後也不要覺得不好意思面對我，一切照舊知道嗎？」

我好似鬆了一口氣，又好似，被另一顆石頭牢牢地壓上心頭。

這麼多年，在夜深人靜時，我都會問自己到底喜歡麻清栩什麼？他有哪裡好，值得我對他念念不忘？

「你……是笨蛋吧？」

或許，可能，大概，我喜歡他的原因，是他對我太過寬容，總是解救對每件事情都無比糾結、不知所措的我。

「我對妳釋出如此溫暖的善意，妳竟然說我是笨蛋？」他一臉不敢置信。

「你就是笨蛋啊，我又沒說錯。」只有笨蛋才會這麼容易原諒別人犯下的大錯。只有笨蛋，才會回過頭找我，說要跟我繼續當朋友和哥們兒。

「方可緋，我不記得妳以前是這麼一個……用詞不當的人啊？妳吃錯藥了吧？還是只有對我這樣？」

「我沒吃錯藥，就是只對你這樣，怎樣？」

「沒怎樣，妳開心就好嘍！誰叫妳今天是我的一日雇主。」

提起雇主這個關鍵詞，我拉住麻清栩的衣袖，「對了，我們是不是要先串供啊？以免我媽一見到我們，盤問任何事情我們都說不出來。」

「串啊，就算妳不串，以我的智商和應變能力也能擺平任何事。」他的語氣驕傲得讓我想打他一拳。

不過他說得也沒錯，就我對他的認識與觀察，他這個人簡直是中年婦女界的吉祥物，人見人愛，隨便都能討好一堆婆婆媽媽。

「等一下妳媽問我們何時交往的，就說半年前我回國，我們在大學的同學會上重逢，幾次相處下，發現對彼此有超乎友情的感覺，就在上個月我提出交往，妳答應後，我們就成爲一對甜甜蜜蜜的小情侶。」

「我們年紀都多大了，你還敢說是『小』情侶？」

「不是……方可緋，妳可不可以不要一直不合時宜地吐槽我？」

在痲清栩用眼神嚴厲地指控下，我選擇乖巧轉移話題：「那如果我媽問我爲什麼遲遲不把你帶回家呢？」

「哪有遲遲？我們才交往一個月，沒有特殊情況，不需要提早見家長吧？妳說妳害羞，不好意思這麼早讓我見光死，不就得了？」

「見光死不是這樣用的吧……」

「方可緋，妳可以閉嘴嗎？」

怕眞的惹毛他，我立即對他燦笑，討好道：「好啦好啦，你說得都很合理，我就是想緩和氣氛嘛。」

「我怎麼不知道我們之間的氣氛，有嚴肅到需要緩和？」

看著他噘起的嘴，我忍不住笑得更開懷。

「笑屁啊，有什麼好笑的？我在跟妳串供，妳在看我笑話？」

眞好……能夠再這樣坐在他身邊，看著他的喜怒哀樂及臉部表情的鮮明變化，是我在過去幾年，想都不敢想的事。

我不後悔我當年做的任何決定。

但他畢竟是我喜歡的人，是我一直喜歡，很喜歡的人，偶爾想起他時，還是會思緒大亂，胸口抽痛。

「麻清栩，謝謝你啊。」我不管他在旁邊的嘮嘮叨叨，輕聲道謝。

「謝什麼？陪妳回老家嗎？也不用刻意謝我吧，明天我剛好能回去看我爸媽。」

我笑了一下，「沒什麼啊，就是想謝謝你。」謝謝你這麼多年都沒有任何改變，還是我記憶中的那個人。

「真要謝我，妳之後請客，要請那種超貴超豪華的大餐，不要看我好欺負就糊弄我。」

歲月流逝飛快，不知不覺，我們都二十八歲了，眼前的麻清栩，褪去少年的青澀，漸漸散發出成熟男人的韻味，只要他不講話，就是個讓人回頭率極高的型男。

偏偏他長了嘴巴，卻不是啞巴，一講話什麼氣質都沒有了，又痞又欠揍，跟小屁孩沒兩樣。

「好好好，你想吃什麼，我們就去吃什麼，餐廳給你訂，帳單給我買，可以吧？」

「這還差不多。」麻清栩很好哄，馬上就眉開眼笑，靠著椅背悠悠哉哉地傳訊息。

在我們毫無營養的瞎聊下，一個半小時一眨眼就過了。

抵達目的地後，我們在高鐵站大廳買了些伴手禮，再轉搭捷運前往老家，一路上麻清栩一臉好奇，像是走入大觀園的劉姥姥，恨不得把路上的街景全用手機拍下來。

「我們老家的轉變怎麼這麼大啊？」也不怪麻清栩這麼驚歎，這幾年在市政府的整修下，讓原先老舊斑駁的巷弄，鋪上了平整的柏油，老屋們的外殼也陸續拉皮，變得煥然一新。

「你回國的這半年，都沒有回來？」

麻清栩皺眉，略帶埋怨道：「沒有啊！這半年妳不都在躲我嗎？沒有妳，回來多沒意思啊。」

距離我家門口的十公尺外，他趁我因他的話而臉紅心跳時，摟住我的肩膀。

「女朋友，今天就請妳多多指教嘍。」

第二章　不是公主的我

「媽，我回來了，快來幫我開門！」

我跟麻清栩並肩站在家門口，透過門的縫細我看見裡面有燈光，想來是我昨天打的電話起了作用，老媽知道我要帶人回來，沒有跑出去讓我找不到人。

「來了來了，妳催什麼——」我媽一打開門，見到我旁邊站著的人，瞬間就把門關起來。

「欸！妳關什麼門啊！我們還沒進去！」

我媽隔著鐵門哀怨地說：「我原本以爲妳良心發現，眞的打算帶妳的男朋友回來見我。結果妳帶小栩回來幹麼？騙我不知道你們的關係嗎？我是老了，又不是痴呆！」

「我、我是跟他——」

「阿姨，可歆沒有騙您，我眞的是她的男朋友。」麻清栩知道我一急就說不了謊的個性，直接打斷我，主動向我媽柔性勸導，「我們這麼久不見了，我有很多話想對您說呢。」

「你眞的是可鄙的男朋友?」

「眞的。」看麻清栩一臉眞誠，要不是我是當事人，我都要信了他的話。

「也不是阿姨懷疑你，誰叫她對自己的終身大事很不積極，我擔心她找人來騙我，一直防範著。」

聽到這幾句話，我氣到差點中風，大喊：「媽!我是妳的親生女兒，不是抱來養的好嗎?我幹麼要騙妳啊!」

「我抱來養的女兒說不定還比妳孝順呢!就是因爲妳是我親生的，我才對妳想的那些事一清二楚，放個屁我不用聞都知道是香是臭。」

在我快要抓狂前，麻清栩眼明手快地抓住我，繼續當和事佬，「阿姨，我們有話進去說，在外面講這些，不太好看嘛。」

「要我開門可以，但你們必須向我證明是眞的有在交往，不是在唬我的。」

我甩開麻清栩的手，氣呼呼地問：「要怎麼證明才算啊?妳這麼煩，我們乾脆不進去了，直接搭車北上!」

「妳要是敢回去，我明天也搭車北上，把妳捉下來相親!」

這位太太整天只想把女兒嫁出去，還疑神疑鬼的，不相信女兒帶回來的對象，就算我帶回來的是假的，她也不能這樣懷疑我啊!

正當我要原地爆炸，在旁邊苦當戰地觀眾的麻清栩，再度摟住我的肩膀，把我轉過身，迅雷不及掩耳地——親、下、去！

若非嘴巴被他封住，我的下巴肯定掉到地板黏不起來，我只能用我瞪大的雙眼，顯露出我有多麼震驚。

Oh my god！這是我的初吻！我的初吻啊啊啊混蛋！

「閉上眼睛。」換氣的空檔中，麻清栩還對我發號施令。

我、我很生氣，但除了閉眼，我好像也不能做其他的事。

我只能把眼睛閉得緊緊的，任他的舌頭探入我的口腔，演技逼真、毫不借位地在我媽面前上演喇舌。

而且，觀眾還不止我媽一個人。

「現在的孩子……都這麼開放的嗎？直接在門口跟男人親嘴呢。」要是我沒聽錯，這是隔壁鄰居蔡奶奶的聲音。

「年輕人嘛，偶爾會衝動控制不住感情，親親嘴也沒什麼。」這是對面鄰居王叔叔說的。

「親嘴是沒什麼，不過在我們這些老人家面前親得這麼激烈，我看得都臉紅心跳起來了。」連住在我家隔壁又隔壁的陳太太也來湊一咖。

行了，光是用聽的，我就知道這聚集起來的觀眾，能湊一桌麻將。

麻清栩終於把我放開，他在我面前微微喘氣，性感的模樣讓我頓時氣消，只能故作兇惡地瞪了他一眼。

「阿姨，這樣您可以相信我們是眞的在交往吧？」麻清栩原本擱置在我肩膀上的手，親暱地放下，改握住我的手腕。

「可、可以了……我也不是非要你們這樣……呃……」同樣被嚇到的老媽連話都說不清楚，支支吾吾地打開門。

她看了我一會，又對著圍觀的鄰居大喊：「好了好了，你們給他們這對小情侶談戀愛的私人空間嘛，都回去都回去，等之後有喜事我再請你們吃餅吃糖。」

不是，媽也想得太遠了吧？我才請麻清栩回來陪我演一齣戲，她就想好未來如何嫁女兒了？

「你們快進來，不要站在外面了。」

也不知道是誰硬是把我們鎖在外面，不放我們進門的。

我在心裡吐槽，表面上卻沒說什麼，雙頰火辣辣地跟著麻清栩走入家門。

麻清栩天生自然熟，不需要我招待他，自己把禮品放在客廳茶几上，便與我媽閒聊。

「阿姨，您最近過得好不好？還在衛生所當護理師嗎？」

「沒有沒有，我上個月改當二十四小時的護工，薪水比——」

「媽！我有沒有聽錯？妳好好的護理師不做，去當護工？還是二十四小時的？」

「妳幹麼大驚小怪？我當護工有什麼不好？薪水比較多，還只要照顧一個人，工作量算一算比我當護理師還少呢。」

「二十四小時耶！妳都快五十歲了，還這樣勞累？」我一著急，就忘了剛剛的羞怯，忍不住在麻清栩的面前質問：「妳哪裡缺錢？我不是每個月都有寄錢回家嗎？」

「我沒有缺錢！妳寄回來的錢已經很夠用了，不過我得趁自己還有體力工作，再多存一點錢，免得到我老了，還要拖累妳……」

她說到最後，聲音越來越小。

而我的淚水在眼眶打轉，「妳胡說什麼？拖累不拖累的……妳要照顧好身體，未來才不會這麼辛苦啊。妳下禮拜就去辭職啦，不要我一不注意妳，妳就想一些有的沒的……」

「可緋，妳冷靜一點。」麻清栩或許是發現我全身都在顫抖，輕聲安撫：「沒事的，妳先不要緊張。」

「還不是妳一直說忙……忙到沒時間交男朋友，我就想說……去找一份薪水比較高的工作，這樣妳不用每次都寄這麼多錢回來，工時也能減少……再怎麼樣，妳也要過屬於自己的人生，幸福快樂的那種……」

這些話明明不是指責，卻比任何的批評更加讓我傷心。

我別過頭，眼淚徹底憋不住地流，「妳……不懂啦！我那個工作……是責任制的……沒有做完不能下班，跟工時沒什麼……沒什麼關係。」

我跟我媽都是全世界最好強的人，有什麼苦都往肚子裡吞，彷彿吞久了就不是在吃苦，而是在回甘。

不過我跟我媽有點不一樣，那就是我看男人的眼光比她好，她啊，選的男人眞是爛到谷底，沒人比那個人渣還要更糟了……

「妳什麼都不跟我說，我當然什麼都不懂啦！就連跟小栩交往，都還瞞著我！我不想當煩人的媽媽，只是想要妳有個依靠。現在看你們這樣，妳不知道我有多高興。」

高興是眞的，男友是假的。

我不想在他們面前失態，淚水卻止不住。

麻清栩一言不發，把我的頭靠在他的肩膀上，任我流淚，浸溼他的西裝布料。

男友是假的，喜歡是眞的。

我喜歡這個人。喜歡麻清栩。

「吶，你要的啤酒。」

折騰了大半天，好不容易熬到我媽心滿意足地去睡美容覺，我與麻清栩累得坐在陽台，各自喝著啤酒和果汁。

原本以爲只要陪我媽吃完午餐，就能打道回府，但我媽這個狠角色顯然不是這麼好對付，只要我透露出一點準備要離開的意思，她就有辦法岔開話題。

加上麻清栩臉皮太薄，不忍心拒絕我媽剛吃完午餐又接著的晚餐邀請，迷迷糊糊地留下來，還要跟我在老家住一晚。

「累了吧？你就是耳朵太軟，答應我媽要吃晚餐，才會搞到這麼晚。」

麻清栩洗過澡，穿著我到附近賣場買的連身睡衣，頭髮失去髮膠的支撐，柔軟地塌在額頭上，他這模樣，看起來比早上還小了好幾歲。

「累是累，但留下來也沒什麼不好啊。她是妳媽，我怎麼好意思拒絕？」

我看著他俊俏的側臉，忍不住揚起嘴角，「你的售後服務怎麼這麼完善？我可沒錢再花五千塊請你哦。」APP上的租賃合約註明出租時間是早上八點到晚上八點，超過就算加錢也不行，爲確保雙方人身安全，會立即終止服務。

反正不管怎樣，就是明天再來的意思。

「妳說什麼笑話？講得妳好像有對我花錢似的。」

他說這幾句話的表情太過滑稽，我噗哧笑了起來。

「喂，笑屁啊，有什麼好笑的？」

「你的表情很好笑啊……哈哈哈。」現實的人生往往比偶像劇來得起伏不定，我從未料到與麻清栩重逢的這天，就過得如此精彩。

「神經。」他沒好氣地說：「妳的錢可以不花，餐不能少請啊！一定要請我吃大大大大大餐才行。」

「我像是這麼小氣的人嗎？就說了你想吃什麼，我都請你。」

麻清栩聞言，同樣露出笑容，調侃道：「妳是不小氣，但很會躲人，我要找妳，還得費一番功夫才能找到。」

「幹麼又翻舊帳……」

「大小姐，妳躲了我這麼久，我翻一下舊帳又怎麼了？何況，我之前人在美國，每次打給妳，妳都是支支吾吾，恨不得秒掛電話，我都以爲我們不是國中、高中和大學的同學，是完全不熟悉的陌生人呢。」說到最後，他臉上的笑意轉爲哀怨，「妳這樣對我，眞的只是因爲感到對不起我嗎？」

我內疚地轉開視線，低聲說：「硬要分析，好像也不只是這個原因。我們分隔兩地，周遭的環境大不相同，加上時差的關係，我有時不知道能跟你聊些什麼。你的世界變得如此寬闊，而我只縮在小小的公司，面對小小的螢幕，日以繼夜地忙碌……」

當年因爲意外，我不得不臨時放棄出國的機會，留在國內扛起所有的一切。我遇到最大的困難，就是爲了負擔各種費用，必須在短時間內找到一份相對高薪的工作。

T大電機的學歷看似傑出亮眼，但沒有碩士文憑，很難在大公司占一席之地。於是我選擇到一間中小型的半導體代工廠擔任工程技師，爲得到主管、老闆的認同及賞識，我一人當兩人用，加班加到天亮、在辦公桌上趴睡半小時補眠都是常態。

這樣不要命的生活，薪水和職位的確是肉眼可見地上升，可相對的，身體健康是每況愈下，還曾因過度操勞暈倒在公司，被同事送往急診掛點滴。

「現在回過頭看那一段日子，眞的覺得很不可思議，都不知道自己是怎麼熬過來的。」

厤清栩皺眉，不太理解地問：「怎麼會這樣？我記得妳家應該沒有欠債吧？爲什麼需要那麼辛苦地工作？」

我垂下頭，抿了抿脣才繼續說：「就……就是我媽出了意外，需要一筆爲數不小的醫藥費。我那時候剛畢業，哪有錢啊，只能靠努力工作來籌款。」

「什麼意外？那些健保不給付嗎？」他的聲音聽起來很擔心。

「雖然有健保，但健保也不是萬靈丹啊，總有一些地方需要自費。」

那一年對於我們來說，是揮之不去的夢魘。

「要是我也沒出國，留在國內陪著妳就好了。」厤清栩將手中的啤酒喝完，語氣充滿了心疼：「妳那時候一定很累吧？」

「我倒是很慶幸你不在國內。」這是我最眞實的心願。

「爲什麼？」

我對著他笑了笑，「我……我不是那種需要人照顧、保護和陪伴的小白花，只要一心急，我的脾氣就變得很不好。你如果在國內，肯定沒少被我遷怒，這樣的話，豈不是連朋友都做不了？會有多糟糕啊。」

「拜託，妳以爲妳不心急的時候，脾氣能有多好？」

「喂！」我出拳搥他。

「妳看！妳現在就沒有很好啦。」

「我要是脾氣沒有很好，今天早上會放你在大門口親我嗎？」

麻清栩一臉莫名其妙，「那是妳媽堅持要我們證明眞的是情侶，不這麼做的話，妳要跟她吵到什麼時候？而且妳們都鬧崩了，像仇人一樣互相叫囂。」

現在回想起來，我和我媽在大門口吵架給麻清栩看，實在是既幼稚又羞恥，但我嘴巴上才不會承認，強行辯解：「那是我們特殊的溝通方式，你不懂才會大驚小怪。」

只見麻清栩翻了一個白眼，用毫無起伏的語調說：「哇，我眞的好驚訝哦。」

「哦你個大頭鬼！」我一生氣就想捏他的臉，偏偏在執行前被他識破，他頭一歪就撇到我捏不到的位置。

「就妳那小短手還想捏我！」

「叔可忍，嬸嬸不能忍！你給我過來哦，我沒捏到你，今晚就不睡了！」

他聽了我的話，一邊阻止我進攻的手，一邊哈哈大笑，笑到從眼角流出眼淚。鬧了十多分鐘，我累個半死，臉還沒捏到半下，就氣喘吁吁地靠著他的肩膀，感嘆自己命運多舛，連捏個臉都不如意。

「累了吧？體力這麼差還敢跟我玩。」麻清栩果然是眞朋友，恥笑也來得很眞實。我累到無法回嘴，安安靜靜地當個擺設。

老家這裡的冬天，夜晚不冷不熱，微風輕輕一吹，帶給我幾分清醒感——這不是夢，不是我因爲太過思念，所虛構出來的夢境。

沉默片刻，他突然轉移話題：「……妳明天請好假了？」

「嗯，剛傳訊息給主管，應該沒問題，我還有很多特休，好好在這裡待個兩天，算是給自己放假。」

「就是！妳哦，太勞碌命了，之前還想一天來回，明天再趕去上班，難得回老家看妳媽，多住一晚很好啊。」

「能看到我媽，跟她相處、吃飯和抬槓當然很好，不過不管我回來幾次，都無法喜歡上這個地方。」對別人，尤其是對我媽，我很難把這些話說出口，唯獨在麻清栩面前，除了「我喜歡你」這句話，其他我都能對他暢所欲言。

「是因爲方仰德的關係嗎？」

聽見這個名字，我雙肩忍不住一震。

知我者莫過於脈清栩，他總能輕而易舉地猜出我內心的糾結。

雖然很不想承認，但他口中的那個人渣是我的親生父親，我的身體有一半的血液來自於他，他叫方仰德，是一輩子都沒有任何德行的男人。

當年我媽看他風流倜儻、看他帥，不顧外公外婆的阻撓，連夜跟著他私奔，過了半年，我媽懷了我，不到二十歲就當了小媽媽。而接下來的十餘年，就是我媽和我的惡夢。

方仰德除了那張臉，沒任何優點，沾染一堆惡習，吃喝嫖賭樣樣來，生活上的所有重擔都壓在我媽的身上。

這樣也就算了，如果只是這樣，我們還過得下去。

直到……從我十五歲開始，他只要一喝酒就會在我洗澡的時候，在門外狂拍門板，並試圖用十元硬幣解鎖。

我很害怕，怕到必須用鐵絲從內側將門把固定，等他發完酒瘋，爬回自己的床上昏睡後，我才敢從浴室跌跌撞撞地跑出來，再把自己緊緊鎖在房間裡。

當時的我年紀小，人也蠢，總是想著不讓工作忙碌的媽媽煩心，所以選擇什麼都不說，自我安慰他只是發酒瘋，瘋好了就會結束，只要小心一點，就不會有事。

每天，每天，我都在擔心受怕，陷入焦慮與憂鬱的輪迴，我甚至想過，這輩子大概只能這樣行屍走肉地活著。

但麻清栩的出現扭轉了我生命中的一切。

他是第一個發現我情緒異常的人，那時他坐在我斜後方，因爲我性格孤僻，平時沒講過幾句話，只要把校牌遮住，就完全是陌生人的關係。

某日午後，他突然站在我的左側，一臉疑惑地問：「方可翡，妳臉色好差啊，是不是身體不舒服？」

我僵硬了一秒，隨即搖搖頭。

「唉？妳平時出門是不是沒照鏡子？臉白得跟鬼一樣，如果不是妳還有呼吸，不然我都想替妳叫救護車，把妳送往太平間。」

少年時期的麻清栩關心人的方式有點奇怪，隨隨便便就一臉真誠地詛咒人死。

「還是妳大姨媽來？需不需要我幫妳借衛生棉？這種事情妳不用客氣，大家都是同學，直說就好啦。」

「……我沒事。」

「可是妳看起來很有事啊。只剩下一節課，妳要不要聯絡家長，先回家休息啊。」

一聽到「家長」兩個字，我緊繃的神經瞬間斷裂，「不需要！你好煩，可以不要多管閒事嗎？」

一般人聽了肯定會生氣，說不再管我了，但麻清栩很奇怪，他沒有任何怒氣，反而一臉古怪地說：「我管都沒管到，怎麼算是多管閒事？倒是妳的反應很不正常耶……是不是妳跟父母起衝突？」

「沒有！我都說了沒有！」

「看妳這麼激動，我就越不能相信妳了啊，妳是不是被打了？那種被家暴的毆打？」

如果只是毆打就好了。

我瞪大雙眸，粗喘著氣，想把麻清栩推開，不願再受刺激。

「妳怎麼不說話？被打得很嚴重嗎？如果很嚴重的話，可以打防家暴專線，千萬不要縱容父母過度的暴——」

「不要再說了。」我粗魯打斷了麻清栩的話，全身都在顫抖，「我已經說了很多次……你不要管我，你根本什麼都不知道！」

麻清栩閉上嘴看了我很久，接著一言不發地走回座位，拿起原子筆在便條紙上寫了些什麼，「這給妳。」他折返回來，把便條紙貼在我的桌面，上面是一串數字。

「這是我媽的工作電話，她是刑警，如果……如果妳真的遇到什麼不好的事情，一定要打給她，她會在第一時間去拯救妳。」

「拯救」這個詞彙聽起來很浪漫，現實生活中，我卻用了恐懼與鮮血，換來被拯救的契機。

我以為方仰德是發酒瘋，殊不知他是借酒裝瘋。

就在麻清栩寫下他媽媽手機號碼給我的隔天深夜，我躺在床上，因惡夢驚醒，睜開雙眼時，目睹方仰德撬開我房間的窗戶，手腳俐落地從外側跳進來。

我永遠都忘不了那一幕。

方仰德發現我已經清醒，表情變得猙獰，瞬間撲向我，一手摀住我的嘴巴，一手伸入我的大腿內側……我在他身下不斷掙扎，豆大的眼淚從眼角流出，他對我說的話我一個字都聽不進去，只覺得噁心，噁心得快要死了。

「啊啊！」我不知道哪裡來的力氣，狠狠咬了方仰德覆蓋在我嘴上的手指，瞬間嚐到血的味道，混雜我流下的淚水，又苦又澀，更加刺激我的感官，掙扎的幅度加大，死也不願意被他制服。

他怒不可遏，抽出被我咬到噴血的手指，再用原本撫摸我大腿的手拎起鐵盒，用力打在我的頭上，怒斥：「妳這個小婊子！竟然敢咬我？」

我短暫暈眩了一秒，隨即抬起腿踹了方仰德的小腿，把他往後一推，讓他從床上跌到地板。

「幹！」趁他吃痛站不起身，我抓起擺在枕頭旁邊的手機，大幅度地跳過他，想往門外跑。

他從地板翻轉過身，抓住我的左腳腳踝，往下一拉試圖把我拖倒。

「妳還敢跑？等一下我就讓妳痛不欲生！」

「放開我！放開我！」咬緊牙關，我的手往身邊的縫細延伸，邊用右腳踹了他好幾下，終於，我摸到了很久之前被我藏在房間裡的木棍，朝他的肩膀猛力一砸。

木棍隨著重力碎裂，我顫抖著喘著大氣，不敢多看方仰德一眼，連忙爬起身，打開房門衝下樓梯。

「方可緋！妳給我站住！」方仰德在我身後大吼：「信不信我就打死妳！大門已經被我鎖死了，我就不信妳跑得出去！」

聽見方仰德這句話，我立即停下腳步，折返衝進浴室，如同先前一樣，拿著鐵絲在門把上繞了好幾圈。

「哈……哈……」頭上的傷口源源不絕地滲出血液，模糊了我的視線，當我使用手機想撥打爛熟在心中的號碼時，螢幕卻短暫地接觸不良，「怎麼、怎麼會這樣……啊！」

方仰德大力踢了浴室門好幾下，幾乎要踹出一個洞，期間他未曾停止咒罵，全是不堪入耳的骯髒詞彙。

「拜託……拜託一定要接……」好不容易，我才輸入好麻清栩留給我的號碼，撥出去的時候，內心不停祈禱，就怕得到一個無人接聽的結局。

好在電話只「嘟」了兩聲，我就聽到：「喂？這是中央警察局，刑警唐水柔的手機，請問妳是？」

我像抓緊了一根救命的稻草，結結巴巴地說出我的姓名與所在地址。最後，我縮在角落，滿臉淚水地哀求：「我很怕……我真的很害怕……拜託……拜託來救我……我……嗚……嗚……」

對方沒有廢話，出聲安撫我：「妳不要怕！我們馬上就趕過去了！電話不要掛斷！」

下一秒，方仰德破門而入，我手無寸鐵，而他手裡拿著鐵棍，直接把我的手機打飛。

「妳想找別人來救妳？我就看看，是我先把妳打死，還是那個人先趕到！」

「打就打啊！你最好把我打死！我死也不願意被你碰！你、你這個人渣！變態！」面對方仰德，所有的軟弱都派不上用場，我用盡全身的力氣，對他吼叫，得到的是他怒極揮下的一棍，左手手臂傳來劇痛，可能骨折了，我痛苦地倒在地上抽搐。

「老子把妳養到這麼大，不姦了妳，妳未來出去也會給別人姦……與其便宜別人，不如我上。誰叫妳敬酒不吃吃罰酒，搞成這樣，我就算姦屍，也要把妳搞到手！」

「呸……你才沒養……養過我……噁心死了……」

他見我沒有任何反抗能力，淫笑著把鐵棍扔到一旁，蹲下來拉扯我身上的衣服。

「等我把妳肚子搞大，就看誰噁心。是姦了女兒的爸爸噁心，還是懷雜種的女兒噁心，哈哈哈！小婊——啊啊啊！」就在他靠近我的那一刻，我將右手手掌緊握的廁所清潔粉糊上他的眼睛，灼熱的刺痛使他雙手覆在臉上，倒退了好幾步，「妳！妳給我塗、塗了什麼？」

我沒有回答，扶著牆壁，努力抑制身體的顫抖站立。

這次我不想逃了，乾脆跟這個人了斷，不是他死就是我死，大不了同歸於盡。

拿起剛被他扔開的鐵棍，自己失控的喘息聲迴盪在耳邊。

我什麼都不怕，雙手高高舉起鐵棍，就要往他的頭上砸——

「方可緋！」棍子沒有落下，我被人從身後緊緊抱著，阻止我極端的暴行。我聽到有人對我說：「爲了這種人，不值得。」

「我想殺了他……嗚……我想殺了他！」眼淚宣洩而出，恐懼與焦慮都化爲難以抑制的憤怒。要不是在千鈞一髮之際，警方破門而入，否則我眞的，眞的會了結方仰德的生命。

抱著我的女警沒有鬆開手，不斷安撫：「沒事了，可緋，沒事了，有我們保護妳，沒事了。」

我不知道有多久，沒有被這樣溫柔地擁抱著，溫暖得讓我卸下所有的力氣，腿軟地倒在她的懷中，嚎啕大哭……

不堪的記憶閃現過腦海，我回過神。

「你說得對……雖然事後我和我媽火速搬家，逃離那個地獄，但對我來說，只要踏進這個區域，我就……就會很生氣，無論怎麼抑制，心裡都會有一種揮之不去的焦躁。」哪怕時間過得再久，我對方仰德的憤怒與恨意沒有絲毫減少，要是放我跟他單獨相處，我無法保證自己不會對他動手。

「妳是不是一直都很後悔，沒有把他打死？」別人聽了我的話，可能會爲我燉一碗心靈雞湯，要我學會放下，不要再去想。而麻清栩最特別的地方，是他嘴賤歸嘴賤，卻不會在這種事上勉強我，還能直接說出我心中的渴望。

因爲他很清楚方仰德做了什麼，也明白我被方仰德碰觸的每一吋肌膚，都讓我感到噁心。事發後的兩年，我根本不敢照鏡子，不願意看自己的身體究竟是長什麼樣子。

我的身體，流著一個怪物的血液，那個怪物，想強姦當時剛滿十五歲的我。

「如果我說是，你會不會罵我？」

「唔，妳因爲他吃了那麼多苦，受了那麼多委屈，偶爾有衝動想把人渣加速回歸大地，情有可原。就算是菩薩，歷經了妳所承受的一切，都不會這麼好消化。我只是偶爾會想……想盡可能地成爲妳的依靠。希望我從前是，現在是，未來也是。」

我或許是太感動了，平時那麼伶牙俐嘴，此時此刻竟然只能仰天傻笑，「你傻不傻啊？」

麻清栩永遠都不會知道，他之於我，到底是什麼樣的存在。

「麻清栩，你不是我的依靠。」

在他開口抱怨前，我轉過頭，與他四目交接。

「你是不讓我迷失方向的燈塔。就算我沉浮於冰冷的大海之中，一想到你，我就能勇敢滑行，渡過每個風浪。」

在我很小的時候，我就知道自己的家庭與別人的不太一樣，我不是父母捧在手掌心的小公主，只能靠著自己，咬牙過著宛如地獄般的生活。

我學會不爭不搶，當個誰都看不到的隱形人，試圖躲避周遭所有的惡意，但惡意無孔不入，它滲透到我的生命，侵蝕我的意識，還想染指我的身體。

手握鐵棍的那一刻，看著在地板上掙扎、嘶吼，想用清水洗滌眼睛的方仰德，腦海中盤旋的念頭，只剩下如何把他打死，和把他打死後我該怎麼了結自己的生命。

我不相信童話，也不相信之後會變好……

「方可翡！」當我被警察簇擁著走出滿目瘡痍的家，我聽到麻清栩叫我的聲音，「妳還好嗎？」

十五歲的麻清栩，五官還很青澀，本該像往常一樣，無憂無慮地燦笑著，卻因爲擔心我，露出了憂慮的神情。

「我……」下意識地，我想跟他說「我還好」，可顫抖的雙脣失去組織語言的能力，眼淚更是在他關切的眼神下，滂沱不止。

「我知道妳一定很難受。」他主動牽起我的手，給我源源不絕的溫暖，「我陪妳去醫院驗傷，不會放妳一個人的。」

他很溫柔，溫柔到在得知一切後，不嫌我噁心，願意給予我這麼多的關心，陪著我一起面對。

「別哭了，這不是妳的錯。」

「我該怎麼辦……媽媽……」

麻清栩嘆了一口氣，從口袋拿出乾淨的手帕，爲我擦拭臉上的淚痕，「妳媽媽知道後也不會怪妳的。妳才是受害者，要是妳把這整件事情吞下來，眞的被那人渣侵犯，那才會對妳媽造成最大的打擊。」

我什麼話都說不出來，只能啜泣，眼淚滴滴答答地掉。

「好了啦，我都替妳擦乾淨了，妳還哭。」

「我就……就是想哭……」

雖然是三更半夜，但或許是鬧出的動靜太大，門口又停了兩台警車和一台救護車，引來不少圍觀的群眾。察覺到他們好奇的視線時，我下意識地把頭垂下來。

原本想給予我們私人空間的警察，走到身旁，柔聲勸我們先坐上救護車，有什麼話，等我接受完治療再說。

走到車子旁，我用很小的聲音詢問：「你要陪我去嗎？」

「廢話，我剛才不是答應妳了嗎？會一直陪著妳，妳幹麼不相信我，還要再問一次？」

「我沒有不相信你……是我們……我們明明沒有那麼熟……這麼晚了，你一定很累了吧……回家休息對你也比較好……」

「喂，不熟悉就試著相處來熟悉彼此啊。因爲不熟悉，就不想要有交集，那要到什麼時候才能熟悉啊？而且妳出了這麼大的事，我回家怎麼可能還睡得著？妳以爲我是豬啊，一躺在床上就能睡？」

我睜大眼眸，試圖從他的表情來判斷這些話的眞假。

「看什麼看？都被打成這樣了，不去醫院治療，一直看我幹麼？覺得我帥啊？」

是啊，我覺得麻清栩眞的是太帥了。

打從一開始，我就知道他是人群中最耀眼的存在，但我沒想到這麼耀眼的他，還能關注如此不起眼的我。

「你……眞的很自戀耶。」要是我能夠更坦誠一點，直接和麻清栩表達我最眞實的想法，那我也許就不用在暗戀這條路，走得這麼遠。

偏偏我啊，越是在意就越害怕被人奪去，越害怕被人奪去就越假裝不在意。

「自戀也是要有本錢才能自戀的好嗎？」麻清栩對著我笑，笑得非常陽光爽朗，掃去我內心大半的陰霾。

「逗妳開心眞不容易，說了好多話，現在妳的表情終於放鬆一點了。快點上車吧！再不上車，我們就要成爲動物園裡的猩猩，免費被人觀賞了。」

莫名其妙的，我被他這些無腦的話戳到了笑點，嘴角漸漸上揚，暫時放下糾結，率先踏上了救護車。

前往醫院的途中，我總是偷偷地看著他的側臉。

我想，我是錯了。

就算我經歷了各種坎坷，沒有公主的命，但這不代表在我的生命中，不會出現王子和騎士。

麻清栩之於我，既是王子又是騎士。他是我的幸運，也是我的痛苦。

幸運的是他改變了我，痛苦的是他只把我當成手拿友情劇本的好哥們兒。

無須多言，我很清楚，不是公主的我，怎麼可能跟王子談戀愛呢？

第三章 葡萄汁與紅色火龍果

很久很久以前，有一個不堪被父親虐待的逃家少女，在途中巧遇打算遠征歷練的王子。王子認為能在偌大的世界萍水相逢，就是緣分，所以對少女熱情又慷慨，給予少女從未體驗過的溫柔。

於是極短的時間內，少女喜歡上……不，是愛上了王子。

少女知道，相對於自己的心動，王子對她僅是友情，把她當成普通的朋友，說不上喜歡，更不用說愛了。

得不到，才更想得到。少女不斷暗自祈求王子有天能愛上自己，兩人能一起過著幸福快樂的生活。

可當他們抵達下一個國度，王子在舞會上，遇到讓他一見傾心的公主，他們很快就陷入了熱戀，並在公主的父王與母后主導下，籌備起盛大的婚禮。

少女被當成王子的隨身侍女，勢必會在人群當中，看著深愛的男人，與另一個女人步入婚姻的殿堂。

除了傷心，少女更多的是祝福，畢竟公主就是公主，比她要好不知道多少倍，配得上閃耀的王子，她只能把對王子的喜歡和愛藏起來，一輩子，安安靜靜地守護王子。

然而，舉行婚禮的前一天，少女跟著皇宮的侍女們走下地窖，拿取能消暑、抵禦炙熱天氣的冰塊時，最後方的她不小心走岔了路，意外發現一間藏在巨大石板後的密室。

令少女震驚，嚇得幾乎站不穩的是，她看見裡頭掛了好幾具血肉模糊的屍體，不斷飄散出濃厚的血腥氣息。

「妳在做什麼？」其中一位皇宮侍女，發現少女不見蹤影，折返回來找她。

侍女臉色蒼白，壓低聲音：「快把密室關起來！要是被其他人看見我們打開了門，眞的會死在這兒。」

「裡、裡面是……」

侍女拉扯少女的手，帶著她走回皇宮走廊。

「請假裝沒看到。」這是侍女給她的忠告，「想要活命的話，就不要把這件事說出去。」

看見那麼多具屍體的少女怎麼可能假裝沒事？她顫抖著雙脣，小心翼翼地請求：「妳可不可以告訴我，到底是發生了什麼事？」

能夠把那麼多具屍體藏起來，還藏在皇宮的地窖中，肯定是某個皇族……不是國王，就是皇后，還有可能是公主。

侍女原本不願意說，卻敵不過少女的苦苦哀求，確定四周無人後，小聲地把皇族的祕密說出來。

國王和皇后是一對很恩愛的夫妻，結婚多年，最大的遺憾就是沒有一個孩子。他們試了各種方法，甚至求到了森林女巫那兒去，希望能借神奇的法力，令始終不孕的皇后順利產子。

森林女巫給予皇后一瓶藥水，說只要喝下藥水，就能在隔年的春天迎接新的生命。

代價就是，公主在正常的情況下，只能活到十五歲。而不正常的情況是，公主必須在十四歲後，每一年都吃一顆成年人的心臟，直到公主得到了某個人的眞心。

於是國王每一年都會替公主舉辦舞會，邀請各國的王子、貴族和騎士來到境內，與貌美不凡的公主相親。而在新婚之夜，公主會問丈夫，願不願意爲了自己獻上心臟。

至今爲止，沒有一個人在聽到公主荒謬的問題時，回覆「願意」兩個字。

可他們喝下了摻了昏迷藥的葡萄酒，只能眼睜睜地看著瘋狂的公主，用尖銳的銀刃割破他們的胸膛，奪取他們的心臟。

就連他們的屍體，都無法安葬，公主認爲他們全都是滿嘴謊言、只會說謊的騙子，會命令害怕不已的侍女，把屍體運到密室，供公主隨時虐屍。

少女聞言，瞪大了眼眸，想盡快找到王子，跟他說出這驚人的祕密。

可到了夜晚，少女把握能與王子獨處的時間，把所知的一切全部說出來的當下，王子只是淡淡地表示他早就知道了。

這件事早傳遍了周遭國家的皇族。

「我對她的喜歡是眞實的，所以她不必奪取我的心臟，只要我給她眞心即可。」

「如果……她要的不是你的眞心呢？」

「那我寧願死，捍衛我對她的眞心。」

得到這個答案的少女沉默了，失神枯坐在窗邊，臉色在月光的照耀下顯得無比蒼白。

整整一夜過去，陽光取代了月色，溫暖地灑入屋內。

只見少女倒在血泊中，左手拿著銀刃，右手握著自己剝離的一顆心……那是少女自願代替王子給予的，一顆眞心。

從此，得到王子轉贈眞心的公主，不再需要吃人的心臟爲生，能和不須付出心臟，就能迎娶公主的王子，一起過著幸福快樂的生活。

唯有在深夜，躺在公主身邊的王子，會用手撫摸左側的胸膛。

心臟分明還在跳動，他卻感到空落落的，或許，大概，可能，他的真心是隨著少女，一同消散在這世界了……

「哇操……這是寫什麼啊？恐怖小說嗎？」

「喂！麻清栩！你不要亂翻我的筆記本！」

我剛從廁所洗漱完，邊用毛巾擦臉，邊走入臥室，就發現麻清栩這個殺千刀的，竟然坐在我以前的書桌前，翻閱我寫滿各種奇葩故事的筆記本，我差點一口氣沒提上來，迅速跑到他的身邊，要搶回他手裡的東西。

「給我看一下又不會怎樣！」

「會怎樣好嗎！」這些根本是妥妥的黑歷史，黑到不能再黑，埋到土裡都害怕會環境汙染。

「妳會怎樣？少一塊肉嗎？如果少一塊肉，等會我請妳吃一塊肉補回來。」

「什麼肉不肉的！重點根本不是這個好嗎？快把我的東西還給我！你這是侵犯我的個人隱私！」

「啊？這都是妳八百年前寫的玩意，哪裡還算侵犯……欸，我以前就一直看妳拿著這本子，沒想到妳裡面寫的會是這些。」

我的雙頰發燙，好似被迫裸奔，全部袒露給麻清栩觀賞，「你好煩啊，就算是八百年前寫的東西，你也不能隨便亂看啊。」

「好好好，我其他的都不看，但妳要跟我說說，妳是怎麼寫出這篇故——不對，這應該算是成人童話吧？妳是怎麼寫出來的啊？好血腥哦。」麻清栩的臉皮大概有二十公分厚，明明是他偷看我的筆記本，還敢一本正經地跟我討價還價？

偏偏我拿他沒轍，心裡氣到快得內傷，還是只能接受他的建議，否則他會在這邊跟我盧，盧一天一夜，讓我們繼續錯過高鐵。

「我也忘了是怎麼寫出來的。」終於拿回筆記本的我，隨意翻了兩頁，誠實地說：「眞的是太久以前了，我不知道自己是怎麼寫出如此中二狗血的劇情。」

「雖然很中二，但妳文筆很好嘛！眞是看不出來，我還以爲妳只會微積分，寫作什麼的一竅不通。」

「那是你好嗎？我以前還想過要讀中文系，當個文藝少女呢。」

「『文藝少女』這四個字，跟妳眞的完全搭不上邊，請不要給自己隨便亂加不切實際的人物設定。」

我氣得翻了一個白眼，怒搥他的肩膀，「你煩死了！我就是想當文藝少女不行嗎？要你這邊胡說八道。」

「好，那文藝留給妳，少女不要了。我剛看了妳寫的恐怖童話，現在對少女這個詞有PTSD。」

看他一臉驚悚，我又好氣又好笑，只能雙手插腰地問：「有這麼誇張嗎？不就是很普通的故事？你到底是覺得哪裡恐怖？」

「嗯……我覺得王子的智商很恐怖，笨得讓人無法直視。」

猝不及防地，我又被麻清栩戳中笑點，忍不住噗哧笑出聲。

「妳笑屁啊，我很認眞耶，沒有在跟妳說笑話，這王子是個腦袋有洞的抖M吧？都知道公主是殺人魔，還想爲她犧牲，不把她抓來處刑就很違背公民與道德了，還說什麼眞心不眞心的，根本完全搞不懂自己喜歡誰，還在大放厥詞。」

不得不說麻清栩的觀點非常與眾不同，又眞實到難以反駁。我看著他，突然憶起當初會寫這恐怖童話的原因。

「有些人就是爲愛盲目啊，就算知道這樣做是不對的，還是會一意孤行。」

麻清栩皺眉，「那也要那個人眞的喜歡才對吧？王子分明就是喜歡少女，非要堅信什麼一見鍾情，活該之後活在悔恨之中，根本不值得同情。」

會寫這樣的恐怖童話，是因爲在我們上高中的時候，麻清栩與學校著名的校花在一起。

校花比我們大一屆，身材纖細苗條，五官柔美細緻，完全是行走的空氣清淨機，走到哪裡都會飄散沁人心脾的清香。

校花不僅在學校受歡迎，連在校外都很吃香，不到十八歲就拍了好幾支廣告和

MV，說是等讀了大學就要正式跑通告，進入演藝圈，期待當新一屆的宅男女神。

而令人沒有想到的是，這樣的美女，竟然會主動跟人告白。

對，告白的對象就是麻清栩。

在我們還搞不清楚東南西北的新生菜鳥時期，校花就在眾目睽睽下，與麻清栩告白了。

「妳幹麼不說話？該不會我批評了妳寫的角色，生氣了吧？」

我沒好氣地瞪了他一眼，「知道我會生氣，嘴巴還啪啦啪啦地講一堆。」話是這麼說，實際上我很認同麻清栩的論點——王子眞是一個如假包換的白痴。

「不是……妳這樣寫，不就是要別人覺得王子很笨嗎？我只是……忍不住說了實話。」

「你不要翻開來看，就不會知道我寫的笨劇情啦。」我邊說邊把筆記本放回書架，目光掃到上頭擺著的高中畢業紀念冊，忍不住問：「喂，我問你一件事哦。」

「妳可以問十件事啊。」

每次只要麻清栩跟我抬槓，我心中就會冒出三把火。這個臭傢伙，就不能好好回答我的問題，非得要這樣皮皮的，欠打得要命。

「好啦好啦，妳問妳問，想知道什麼都問。」

努力壓抑想對他發火的衝動，切入正題：「你……還會想起孫可姿嗎？」

「誰？」面對我的提問，他在第一時間露出茫然的神情。

「孫可姿啊！我們高中的校花，跟你交往了三個月，又莫名其妙把你甩了的那個人。她現在不是在當通告藝人嗎？藝名好像叫……可可？」

「可可夜總會？」

我眞的會被麻清栩氣死，怒氣騰騰地拍了他的肩膀，「不要胡說八道！認眞回答我的問題啦。」

「幹麼打我啊，我是要增加妳的幽默感好嗎？」

「我在問你正經事，你還在那邊五四三！」

「問我八百年前的前女友，算什麼正經事？而且，我想她幹麼？我連她叫什麼名字都快不記得了，是要怎麼想她？」

「她好歹是你的初戀，你就這種反應？不是都說，初戀最美、最難忘嗎？」

麻清栩抓了抓後腦杓，「我是不知道跟她交往有什麼美跟難忘啦，每次跟她出去吃飯，她都會去中看不中吃的網美店，份量小還貴得要死，重點還很難吃，搞到我們每次約會，最後我都是餓著回家——錢包和胃都很餓的那種。」

「我還以爲你跟她交往會很高興呢……」

「我高興什麼？如果不是她硬要在大操場跟我告白，我也不會硬著頭皮答應她。她那一型，眞的是讓我敬而遠之耶，十指不沾陽春水，飄飄然地來，飄飄然地去，完全搞不懂她在想什麼。」

聽麻清栩這麼一說，我也搞不懂，麻清栩的腦袋到底裝了些什麼，怎麼好好一個美女，被他講得這麼的……這麼的……詭異。

「還有一點我必須強調，不是她甩了我，是我先跟她提分手，爲了顧及她的面子，才會對外宣稱是我被甩。」

「欸？我還以爲是你被甩，才會讓你那麼難過。」同樣的回憶，卻有兩種不同的解讀方式。我傻眼到不行，覺得恐怖童話都白寫了。

「我難過？我難過什麼？」

下意識想要唱出「我難過的是放棄你放棄愛放棄的夢被打碎，忍住悲哀」的我，跟麻清栩實在可以說是半斤與八兩。

爲了保持形象，我只在內心搞笑了一秒，隨即說：「就是你那一陣子，好像都興致缺缺的，做什麼都提不起勁，還偶爾會對著窗戶嘆氣，跟憂愁的希臘少年有得拚。」

「等等，我有那種時候？我有很憂愁的時候？」

我瘋狂點頭，「有啊！你是撞到腦袋哦，什麼都不記得。」

「十幾年前的事，也就妳記得這麼清楚。可憐哪，妳這樣根本是虐待自己，很容易走不出來，好在妳人生有我，我會帶給妳很多的歡樂，讓妳每天都開開心心。」

什麼開開心心，是生生氣氣吧？

「你是不是認爲，提起你的陳年往事會很不好意思，才刻意假裝忘記？」

「忘記就忘記，還需要刻意？我——不對啊，我們有這麼多時間在這裡講廢話，不趕快出去外面吃早餐，然後趕高鐵北上嗎？」

「啊！」被他一提我才意識到時間有多麼緊迫，連忙帶著麻清栩走到客廳。

原本想隨便煎個蛋和烤麵包來吃，卻發現在茶几上擺著兩袋淋滿各種醬料的水煎包，下面還壓著一張紙條。

「阿姨不在哦？」左看看右看看的麻清栩問。

「她說她先出門去辭職，水煎包是要給我們吃的。等我們吃完，就快點滾回北部，不要在家裡耍廢蹉跎人生。」

「妳們母女講話的方式，也太有特色了吧，一整個很好笑。」

「我一點都不想被你這諧星讚美好嗎？」

「拜託，就因爲我是諧星，讚美妳才有意義，不然其他人誇妳，那只是客套啦。」

每次跟麻清栩講話，話題都會逐漸失去營養，偏偏我們嘴巴不承認，心裡卻很喜歡這樣的相處模式，跟對方說完了幹話，抑鬱的心情總會瞬間轉好。

由於家裡沒大人的關係，我們兩個在沙發上的坐姿都很放飛自我。吃著老媽牌的水煎包、喝著冰箱拿的豆漿，搭配收視率節節高升的瑪莉蘇狗血愛情劇，整個早上非常愜意。

吃到一半，麻清栩突然說：「啊！我想起來了！」

「你想起什麼？」我被他響亮的聲音嚇了一跳。

「就是妳說我高中有一段時間，特別抑鬱的原因。」

「什麼原因？」雖然我有一種他絕對會講出幹話的神祕預感，但我還是洗耳恭聽。

「那段時間啊，我爸帶很多同事送給他的紅色火龍果回家。我家人都不愛吃，只有我覺得它汁多味美果肉Q彈，連續吃了很多天，然後，我就這樣毫無預警地一直大出紅色的便便耶！嚇得我嚴重懷疑自己是不是得了痔瘡還是大腸癌。因爲怕被妳笑，都不敢跟妳說，小心翼翼地保守這個神聖的祕密。現在回想起來，自己眞是辛苦，好一個美少年，每天對著馬桶唉聲嘆氣像什麼呀……」

我他媽管你像什麼！剛吃下去的水煎包，差點被他噁心到吐出來。

忍不住大喊：「麻清栩！你是不是有病啊！」

或許是跟厤清栩相處太過輕鬆，智商呈現下降模式，導致我隔天回到較嚴肅緊繃的工作場合，遲遲無法進入狀況。

「方可緋，妳今天是怎麼了？吃錯藥啦，怎麼一直恍神？」好不容易熬到午休時間，我正準備去微波便當，張芝安就湊過來詢問我的狀況。

「啊？沒什麼，就是難得回南部一趟，身心都放鬆了不少，再回來工作有點不太適應。」

除此之外，厤清栩的出現，帶給我很大的副作用。我總是會不自覺、不受控制地去想他，想他跟我說了什麼、做了什麼搞笑的事，和猜測他現在在幹麼。

原本的腦容量就很告急了，如今多加了厤清栩，瞬間超載，整個人變得有點LAG。

「哦，我以爲妳回家遇到什麼難題呢。」張芝安眨眨眼，繼續問：「這兩天我都沒有問妳，妳在APP上租的男友，還OK吧？」

「我不知道OK不OK耶，因爲我後來沒租。」

「爲什麼？妳不都付錢了嗎？」

「因為發生了一些跌破眼鏡的巧合……」

「什麼巧合？」

見她一臉好奇，我躊躇片刻後說：「那個APP的創始人，是我一個很要好的朋友。他收到我發出去的訂單後，就把訂單取消，退錢給我。」

「嗄？有這麼巧的事？但他退錢給妳，妳不就沒有對象可以陪妳回家了嗎？」

雖然很不願意承認，但張芝安完全知道我在乎什麼，不像麻清栩，從頭到尾都在跟我鬼打牆。

「對啊，所以他後來陪我回去，騙我媽說他是我男朋友。我媽之前就見過他，一開始是有點懷疑啦，到後來就完全接受，不再糾結，對待他跟對待親女婿一樣，母慈子孝啊。」

我們昨天吃完水煎包，看時間差不多，等不及我媽回家就趕去高鐵站搭車。途中，我媽打了電話給我，但她不是要找我，而是要找麻清栩，問他的飲食喜好，下次能寄些有家鄉味的好料給他嚐嚐，展現她磅礡的母愛……

「不是啊，妳媽現在這麼喜歡他，妳之後會不太好收場耶。到時候她要妳跟他結婚，妳怎麼辦？」

「這問題我也不是沒想過，只能走一步算一步嘍。」依照我媽的個性和企圖心，我想過不了幾天，她就會開始旁敲側擊，問我是不是該趁人還年輕，把自己嫁掉。

老實說，如果結婚的對象是麻清栩，我當然舉雙手同意，然而結婚又不是我一個人說得算，還得麻清栩也喜歡我，願意娶我啊。

「哦……也是啦，現在煩惱，煩惱不完呢。」

我們走到了茶水間，各自從冰箱拿出保鮮盒裝的便當，放入微波爐加熱。

「那……妳那朋友長得帥嗎？」

我僅花一秒就作答：「看起來滿帥的。」但人是個傻蛋，憨到不能再憨。

張芝安點點頭，若有所思地追問：「那妳……喜歡他嗎？」

「妳……妳在說什麼啦！我跟他是朋友。」

「我知道妳跟他是朋友，可這跟妳喜歡他，沒有衝突啊。」

我想說「我不喜歡他」，卻在說出口前一刻，改成：「妳幹麼這樣問？怎麼會認為我喜歡他？」

「因為妳一提起他，好像就很快樂。」

好像就很快樂？什麼跟什麼……

「是眞的！妳現在去照鏡子，就會發現妳一直在笑，不是那種很燦爛、刻意的笑容，是嘴角淺淺上揚，很溫馨甜蜜的感覺。」

「是嗎……」我撫摸了自己的嘴角，頓時有點害羞，又有點生氣。害羞的是張芝安看透了我隱藏許久的小祕密；生氣的是連張芝安都能看得出來，麻清栩卻依舊是鐵樹未開花的狀態。

唉，果然是越想越懊惱，越想越更放不下。

「既然妳喜歡他，要不要趁這個機會，假戲眞做啊？」

「假戲眞做？怎麼可能！他只把我當成朋友，我們是『好朋友』的關係。」

張芝安皺眉，狐疑地說：「大家都說男生和女生之間，不會有那麼純粹的友誼，尤其是他還願意當妳的假男友，陪妳回家應付妳媽……這動機無論我怎麼看，都不覺得會很單純。」

「妳的意思是……他有可能會喜歡我？」說完這兩句話，我臉頰的熱度堪稱是發燒等級。

「就算不確定他是不是喜歡妳，也絕對對妳有好感，否則他做這麼多幹麼？一般的損友，只會打電話嘲笑妳行情太差，逼得自己要租男友來應付家長。而他還特地出現在妳面前，與妳一起待在南部整整兩天。我是覺得，妳不要妄自菲薄啊，既然喜歡就主動一點，偷偷地問問他嘛。」

我欲言又止，覺得張芝安說得有點道理，又有點沒道理。

「可是我……若主動問他了，還怎麼偷偷來啊？要是他不喜歡我，我們連朋友都當不成。」

「想不到啊想不到，向來乾脆灑脫的方可緋，會爲了一個男人這麼猶豫。」

面對張芝安的調侃，我有些惱羞成怒地瞪她。

「好啦，開玩笑的嘛！我是眞的沒料到，妳竟然會有喜歡的對象。之前我還以爲，妳只是不想相親，才一直躲避妳媽的安排。」

「一半一半吧，我是眞的不喜歡相親，而且她安排的對象，一個比一個還要奇葩。我這輩子都不想去侍奉那些怪人。」

說完，我們的便當正巧加熱完成，於是各自端著便當，打算走回座位用餐。

「可緋！芝安！」走到一半，行銷部的組長阿春姐叫住了我們。

「嗯？怎麼了？」我停下腳步，有些詫異地問：「阿春姐，妳不吃飯嗎？我記得妳都是在員工餐廳用餐的呀。」

大約三年前，我媽重新回到醫院擔任資深護理師，我不再需要賺取那麼多的薪資，爲了自己逐漸崩壞的健康著想，我選擇轉換跑道，來這間專門製作各類電腦晶片的公司，擔任工程技師。

職稱一模一樣，但工作的份量與付出的時間，比過去少很多。我藉此鬆了好大一口氣，能夠漸漸體會所謂「生活上的小確幸」。

公司的規模雖比不上大廠，基本的福利卻沒有差太多。最最最棒的是我們有很不錯的員工餐廳，每個月公司還會補助四千元的餐費，要是沒有使用，會折合爲現金發放到戶頭。

不過，再好吃也是外食，吃多了就會肥，體重不受控制地向上增長。於是我跟張芝安大多時候會自己帶便當，偶爾才去員餐大快朵頤。

「我、我喘一下……剛從部長那聽到一些消息，想先跟妳們說呢……呼……」阿春姐大概是一路狂奔，在整間公司到處亂竄，才把自己搞得這麼喘。

「什麼消息讓妳這麼激動？」

「就是……就是公司要被收購了。」

「咦？」張芝安嚇得瞪大眼睛，「我們公司不是家族事業嗎？經營好好的，幹麼給人家收購？」

公司雖然有上市上櫃，但所有員工都知道，股份的持有者都出自同一個家族。平時沒聽說公司有什麼虧損，每年的收益都蒸蒸日上，突如其來被收購，實在是很奇怪。

阿春姐把我們拉到角落，神祕兮兮地說：「我們老總上個月……不是剛過世嗎？創辦人一死，底下的晚輩就搶著分遺產，分的過程聽說……不太愉快，導致有些人拿到了股份，就想拋售換取現金。一來一往的，原本家族所持有的股份，不就被稀釋掉了嗎？」

我是工程專業，不是經濟專業，完全聽不懂阿春姐這些故弄玄虛的話，只能迷迷糊糊地換句話說：「妳的意思是，領頭羊一死，跟在牠後面的小羊就忘了回家的路，不再團結，開始有了各自的想法。有些羊還在迷路的過程中，被伺機而動的大野狼吃掉？」

「對對對！我就是這個意思！在本家股份因內鬥而被稀釋的同時，原第二大股東的達利集團，藉機再收購大量的股份，幾乎超過了本家，能掌控整個董事會。」

「等等，按阿春姐這說法，這不是收購啊，頂多算是董事會改組。」

對於張芝安犀利的分析，阿春姐愣了一秒，隨即面紅耳赤地強調：「吼！妳把我當成什麼都不知道的傻瓜嗎？收購跟改組差不多啦，就是我們的老闆要換人當，高層的班底也會徹底換一批。」

「換就換啊，跟我們也沒什麼關係吧？」我肚子很餓，一點都不想聽八卦，只想盡快回到座位吃午餐。

「妳、妳們聽到換老闆還說什麼沒關係，聽說——」

「阿春姐，妳怎麼有這麼多聽說啊？能不能等我們吃飽飯了再說？」張芝安苦著一張臉，摸著肚子哀號：「再不吃飯，我都要餓死了……」

阿春姐恨鐵不成鋼地罵：「妳們哦，整天就只曉得吃吃吃吃！連自己有可能要被外派的消息都不想知道！等妳們眞的收到通知，別怪阿春姐事前沒跟妳們說哦！」

「外派？」

對於長期待在科技產業的人來說，外派這個詞彙很常聽見，一點都不令人感到驚奇。不過目前的老闆顯然對經營一間跨國企業沒什麼興趣，更不想在東南亞或其他地方增設廠房，所以之前我們根本不需要擔心外派這件事。

「達利集團本來就在印尼和越南有設廠，等他們正式入主公司，很有可能會再擴展廠房，到時候，妳們這些還沒結婚的年輕工程技師，肯定是外派的優先人選。」

「嗯，這倒是有點麻煩。」如果外派去其他國家工作，我放心不下我媽，還有……麻清栩也在這裡。

「我也不想外派呢。」張芝安同樣苦惱，歪著頭對我說：「要解決這個問題，是不是得盡快找個人嫁了？」

「不是……妳到底哪裡有毛病，竟然能夠得到這樣的結論！」我真的對張芝安的邏輯感到嘆爲觀止。

「阿春姐說的啊，我們沒結婚、沒小孩，才會被『選上』。若我們結婚了，公司看在我們新婚的份上，應該不會這麼殘忍，強行把我們拆散吧？」

「說什麼拆散！妳以爲妳是牛郎與織女，而老闆是王母娘娘啊？」

張芝安不知爲何被我戳中笑點，摀著嘴巴哈哈大笑，笑到眼淚都要流出來。

「有什麼好笑的啊？正經一點啦！」

在阿春姐徹底發飆前，張芝安終於停止抽搐的笑意，佯裝鎮定地道謝：「謝謝阿、阿春姐提早跟我們說這些消息，對我們很有幫助。」

「會跟妳們說這些，不是要妳們隨隨便便找個人嫁了，是想說如果妳們眞不想被外派，就趁大家還不知道前，盡快找下一份工作。」

「我們知道了，謝謝阿春姐。」

「這有什麼好謝的，妳們是我的後輩，又是我的同事，自然是要……」嘴巴說不需要我們道謝的阿春姐，隨後用了很多時間來闡述她這麼做的動機，很明顯是要我們惦記著她的好。

爲了職場的和諧與美好，我們只能連番道謝，既虛僞又客套，講到嘴巴都要沒口水了，阿春姐才大手一揮，願意放我們回座位吃午餐。

「喂。」我剛打開便當，張芝安就拉了我的袖子，神經兮兮地問：「妳認爲阿春姐說的，是眞的嗎？」

「我怎麼知道是眞是假？她是副總的小三，情報都是從副總那聽來的，應該比其他人準確吧？」

阿春姐與副總的婚外情，算得上是公司裡心照不宣的「祕密」。除了當事人不知道他們的「祕密」已經被大家識破外，該知道的都知道了。

張芝安皺眉分析：「唔，可是她有這麼好，願意事前跟我們說？」

這倒沒有。阿春姐對男上司很喜歡撒嬌，對一般的女同事很喜歡八卦，對下屬就是極致刻薄的雞掰人。我們是不同組，平時也沒有多大的恩怨，但交情沒好到她會特地來跟我們分享八卦的地步。

「算了，不要浪費腦容量想這種事，如果眞的要被外派，等收到通知再來煩惱就好。」我要煩惱的事情已經夠多了，不想再分心到其他地方，徒增自己的壓力。

「也是……不過啊，有件事情我認爲必須密切注意。」

「什麼？」嘴巴塞了一大口飯的我，覺得她的廢話怎麼這麼多，不好好吃飯在幹麼？不是說肚子很餓嗎？

「就是我們都沒有對象，快要成爲大齡剩女的這件事啊！連阿春姐都知道我們有多缺，不盡快找個人交往，遲早會變自閉。」

我翻了一個白眼吐槽：「這位小姐，妳是空窗期多久？頂多就空窗三個月，怎麼就會變自閉了？而且，妳沒聽過『我的子宮我作主』的理論嗎？我想什麼時候嫁，就什麼時候嫁。什麼剩女不剩女的，只是一群男人的自以爲是，喜歡嘲諷人罷了。」

「我的子宮當然是我作主，可是能儘早找到適合的對象，步入婚姻，不是一件很幸福美滿的事？妳又不是沒喜歡的人，分明就很喜歡對方，才會猶豫不決，擔心走錯一步連朋友都做不成。」

被張芝安這麼一講，我頓時沒了胃口，「胡說八道什麼……我才沒有……」

「放──」或許是我的臉色和表情都太過陰沉，張芝安赫然收回那個「屁」字，無奈地問：「妳眞的這麼喜歡他啊？」

當然喜歡了。

他是我一心一意，喜歡超過十年的人，想到他，我就會很高興、很雀躍，嘴角還會無法抑制地上揚。

但相對的，我的心同時也會隱隱作痛。

越是得不到，就越想得到，明知不可能，卻又無法放棄希望。反反覆覆，實在是很折磨人。

「我覺得妳會這麼喜歡他，除了妳很古板之外——」

「喂！誰古板了！」

「妳安靜聽我說完啦！」張芝安雙手插腰，開始對我評頭論足：「除了妳很古板之外，妳也一直都很忙，忙到沒有時間去見見世面。」

「見見世面？」她說的每一個字我都聽得懂，可組合在一起，就讓人一頭霧水。

「就是妳沒有接觸過其他男人啊！不是那種我們學生時期遇到的宅男，是社會上的菁英男！懂得疼人，對女生極致溫柔的聖騎士！」

我再度用「妳發什麼神經」的眼神看她，「妳說的是人嗎？不是從少女漫畫和言小走出來的男主角？」

「拜託，男主角才不懂得疼人和展現極致溫柔呢，都是靠著白目和無禮來當霸道總裁，再命運般地邂逅眼瞎且審美低下的女主角，瞎貓碰上死耗子，莫名其妙幫月老促成一段姻緣。這種完美人設，通常都是要男配角才値得擁有。」

眞的是……完全不知道她在說什麼玩意……

張芝安繼續囉囉嗦嗦好一陣子，天馬行空扯一堆，直到後來，她才雙手一拍，

「我決定了！爲了讓妳能多見見世面，我們就來準備聯誼吧！約一大堆人見面，一起吃吃喝喝，看妳能不能別那麼喜歡那個妳喜歡的人。」

「啊？」我被她繞得暈頭轉向，只能一臉困惑地望著她。

忙都要忙死了，還聯誼個屁？而且喜歡就是喜歡，要是能控制得了，我還費這麼多力氣做什麼呢……

第四章　兩個世界與一道牆

這個世界分成兩種人，一種是會聽我說話，另一種是不會聽我說話。而張芝安，很顯然被堅定地劃分在後者。

就在她發下豪語，說要帶我見見世面，安排一場聯誼活動的三天後，我一下班就被她強行拖到東區知名的日式餐廳。

我站在門外，嘖了一聲，想著都來了就吃一頓飯再回家，不然會有多餓啊。

而當我準備踏入餐廳的前一刻，張芝安又不知道發什麼神經，把我拉到一旁的角落，對我科普：「我跟妳說啊，我們等一下要聯誼的對象，全部都是讀法律的。有兩個律師、一個檢察官、一個書記官和一個地方法院的法官，他們是大學同學，算一算歲數跟妳一樣大。」

那就是二十八歲嘍？不大不小，正是被瘋狂催婚的年紀。

「他們有五個人？而我們就兩個？」

「怎麼可能！這樣多尷尬呀！」張芝安一邊說，一邊打開隨身鏡檢查妝容，「其實這場聯誼是我拜託我學妹幫忙揪的，除了我們，還有學妹本人和兩個護理師。」

「哦。」

「妳就這點反應？」

「不然呢？」難不成我需要買蛋糕、放煙火來慶祝跟一群法律男聯誼？都老大不小了，早就過了大學時期青澀又熱血的時光。

「我好不容易才拜託成功耶，妳好歹也要表現得高興一點吧！」

「啊我就沒有很高興，還要表現得很高興哦？工作一整天累死了，只想什麼都不做，趕快回家睡覺。」

「妳眞的很不解風情。」

「謝謝哦，母胎單身又不是假的，我這樣也過得很好啊。」

張芝安瞇起眼睛，顯然不想再與我廢話，用眼神掃過我今天的穿著，退而求其次地說：「原本我是想讓妳去隔壁麥當勞換一套洋裝，但我知道妳絕對死都不肯……妳這一套也勉勉強強，還可以啦。」

「什麼叫還可以？我覺得這一套很好啊，很整齊。」

「我沒說不好……時間差不多了，我們快進去吧。」檢查好服裝儀容的張芝安把隨身鏡收好，對著我燦爛一笑，「今天妳一定要多說說話哦，不然揪這次聯誼就沒有意義了。」

本來聯誼就沒什麼意義……

我在心裡吐槽，表面上卻沒有吭聲，安安靜靜跟在張芝安的身後，走進餐廳隨即被服務生帶到相對隱密的包廂。

包廂內已經坐了四個男生，大概是聽到我們在外面的動靜，等我們一開門就齊齊看過來。

「晚、晚上好。」包廂的好處是隱密，壞處就是要脫鞋子，好險我今天特地挑了一雙沒有破洞的隱形襪，否則就會在眾目睽睽之下出糗。可被強烈視線注視的我們，好像無論做什麼都會很尷尬。

平時能言善道的張芝安瞬間當機，我只能硬著頭皮對他們自我介紹：「我是方可緋，她是張芝安。」

「妳們好，我是蔣致文，他們依序是古良、盧學山和陳季陶。」最靠近門邊的男性，也就是蔣致文先生，溫和地說：「我們都是大學同學，雖然畢業很多年，但工作場合時常會遇到，所以一直沒有斷過聯繫。」

「這樣啊……我跟她是同事，在做電腦相關硬體的公司上班。」我不知道張芝安爲什麼一進包廂就變得非常古怪，遲遲不說話就算了，還像個神經病緊盯著坐在角落的陳季陶不放。我吞了一下口水，在氣氛更加詭異前，帶張芝安入座，「其他人還沒來啊？」

「嗯，都還沒來。我們剩下一個同學叫鍾子鳴，他剛下班，正開車趕過來。」回答我這尷尬提問的還是蔣致文。

他身穿白色的襯衫，梳好的油頭因受整日工作的洗禮而有些凌亂。雖說不是個大帥哥，但五官端正、身姿挺拔，始終保持著笑容，搭配聽起來十分悅耳的聲音，完全就是那種很吃得開的男生。

如果依照外貌、工作、談吐這三項進行評比，就算蔣致文沒有特等的S，至少是A-起跳。

而在蔣致文左側的古良，上半身靠著牆壁，垂頭使用手機，似乎在聯繫什麼人、交代什麼事。

「抱歉，我先去外面處理一下工作上的事。」打字打到一半的古良抬起頭，對著我們說道。接著他站起身，快步朝外走去。

經過剛才那一眼的鑑定，古良比蔣致文帥那麼一點，屬於高冷冰山的型男，能被列在A。

「古良跟我都是律師，偶爾會遇到緊急的事，沒有太過明確的下班時間。」古良一走，盧學山就替他做了解釋。

盧學山嘛……外型沒有其他人那麼出眾，卻有一雙很明亮的眼睛，就算他不笑，光是與他四目交接，便感到心曠神怡。唔……粗估是個B+男。

「沒關係沒關係，大家工作都很忙，我理解。」要不是張芝安硬要帶我來，我怎麼可能會出席這種場合？休息睡覺都不夠了，還想著聯誼根本是自討苦吃。

「那個……張小姐跟季陶好像認識？」蔣致文同樣察覺到他們的異樣，「怎麼都不說話呢？」

「……是，之前見過幾次面，突然在這個場合見到，有點錯愕而已。」陳季陶比張芝安早回過神，迅速回答蔣致文的問題。

我偷偷朝張芝安看去，意外發現她的雙脣細微顫抖，彷彿是在壓抑內心奔騰的情緒。

我愣了一秒，隨即湊到她耳邊，小聲詢問：「妳怎麼了？」

好在張芝安沒有眞的變傻，還會做點反應，對我小幅度地搖頭。

要不是有其他人在，我肯定會吐槽她是不是中猴。

「妳需不需要先出去喘口氣？」

張芝安繼續搖頭……不知道的人，大概會以爲她是個啞巴，只懂得搖頭。

「你們之前見過？我們怎麼都不知道？」蔣致文依舊對他們的相識充滿好奇。

陳季陶笑了笑，故作神祕地說：「這是我們之間的祕密，幹麼說給你們聽？」

我嚴重懷疑他們之間的祕密，是陳季陶對張芝安下了蠱，只要張芝安一見到他，就會立即變傻。

好在當其他人想繼續追問下去的時候，包廂的拉門再度被打開。

「不好意思，我們來晚了。」拉開門的是另外三位要來聯誼的女生，她們打扮得非常亮麗，瞬間吸引蔣致文和盧學山的目光。

而張芝安拜託主揪這一場聯誼的學妹，除了外貌一級棒，更是能言善道，很會炒熱氣氛。與蔣致文一搭一唱，根本是對最佳拍檔。

他們見人來得差不多，就用餐廳的平板迅速點了綜合壽司拼盤。

在外面講電話的古良走了進來，挑著眉說：「嗯？女生們都來了，那鍾子鳴呢？是迷路還是怎樣？」

盧學山拿出手機看了一眼，「快了吧，他在找車位了。」

「鍾子鳴要到啦？」學妹聽到他們的對談，笑咪咪地插話：「他那麼忙，還願意來聯誼，眞是不可思議呢。」

「他是我千拜託萬拜託才願意來的，妳們等會要控制住自己的反應，別嚇到我們的保育類動物。」

我聽了蔣致文的話，疑惑了片刻，搞不清楚他是什麼意思。

十分鐘後，停好車的鍾子鳴壓軸登場，我才明白蔣致文話中帶的深沉意涵——這他媽，長得還眞是，帥！

好看到某種境界，已經不需要用什麼型男、紳士來形容，只能用「帥」這種簡潔有力的詞彙來表達他帶給人們的震撼力。

「啊……」靠門邊的兩位護理師，見到此等「盛世美顏」，忍不住驚訝地叫了一聲。

「大家好，我是鍾子鳴，因爲半個小時前我還在審理案子，所以來得比較慢，很抱歉。」鍾子鳴一邊說一邊坐在蔣致文的右側。

蔣致文皺起眉頭抱怨：「你可不可以不要坐在我旁邊？」

「爲什麼不行？」

「你每次坐在我旁邊，都會把我襯托得很醜。」

面對蔣致文的抱怨，鍾子鳴笑得更燦爛，「那就是我的目的啊，免得你到處禍害純良女性。」

「你給我滾進去。」果不其然，蔣致文翻了一個大大的白眼，並強烈要求鍾子鳴坐到陳季陶與盧學山的中間，「兩個好看的坐在一起神仙打架，才不會拖累我們這些凡夫俗子。小盧，我不是在說你好看哦，人要有自知之明，不可以一聽到『好看』就對號入座。」

盧學山直接比一個「凸」的手勢作爲回應。

說實話，鍾子鳴和陳季陶是眞的好看，都能上升到A+，甚至是S級的優質男。陳季陶的五官很深邃，走的是混血濃顏系風格，而鍾子鳴則是溫潤典雅系，靜靜的，像是一幅秀麗的山水畫。

護理師們顯然很喜歡鍾子鳴，每個問題都圍繞在他身上。

我不太習慣這種場合，正好沒人與我答腔，張芝安也還在假夢遊中，我就繼續當背景板，安靜吃著美味的壽司。

偏偏這種歲月靜好的時光維持不久，鍾子鳴對護理師們四兩撥千斤，成功把她們撥給蔣致文與盧學山來應付，隨後對著我詢問：「妳很喜歡吃壽司嗎？」

我愣了一秒，覺得他的行爲有點莫名其妙，只能咬著筷子，小心翼翼地點頭，「是……怎麼了嗎？我把你的份吃掉了？」

由於我們坐在對面，會夾同一盤花壽司，我擔心在不知不覺中就把人家的壽司吃掉，那肯定會糗到想鑽地洞。

「沒有，我只是看妳吃得津津有味，而且來聯誼都不說話，才會好奇問妳。」

因爲我不知道說什麼啊……面對陌生的男性，我的詞彙量會迅速降低，自己尬自己。

「壽司很好吃……你剛下班吧？可以多吃一點，不說話沒關係。」

鍾子鳴聽了我的話，臉上帶有濃厚的笑意，「妳眞的很有趣，很少女生會要我不要說話呢，都是希望我能多說一點。」

「你這個說法，好像是狗血瑪莉蘇劇的霸總會說的土味台詞……」

「什麼？」這回換鍾子鳴傻眼。

「像那種『女人！妳已經成功吸引我的注意了』的台詞啊，無論是聽起來還是看起來，都讓人很尷尬。」

我一說完，鍾子鳴瞬間被戳了笑穴，毫無形象地哈哈大笑，吸引其他人的側目。

「鍾子鳴，你笑什麼啊？」蔣致文大概是很不爽鍾子鳴突兀的笑聲，再度吸引了護理師們的注意，「是卡到陰嗎？怎麼笑成這樣。」

鍾子鳴笑吟吟地遮住嘴巴，停頓幾秒後才說：「沒什麼……就是跟前面這位小姐很聊得來。」

作為當事人之一的我，比其他人還要震驚，我是跟他聊了什麼？應該只是隨口吐槽兩句，他的反應有必要這麼激烈嗎？

「妳喜歡吃壽司的話，我的份都給妳吧。」然而鍾子鳴不管其他人詫異的眼神，對我釋出古怪的善意，還把壽司夾到我的碟子裡，瞬間把我要拒絕的話堵在喉嚨。

「謝……謝謝。」除了道謝之外，我似乎沒第二個選擇。

「你們聊你們的呀，一直看我做什麼？」

其他人被鍾子鳴這麼說，紛紛尷尬地別過頭，繼續他們被阻斷的話題。片刻後，氣氛再度活躍，耳邊繚繞著各種聲音。

而始終沉默不語，沒吃什麼東西的張芝安，突然跟我說要去廁所，就默默走出包廂。

張芝安的態度太詭異了，我實在放心不下，尤其是她人一走，鍾子嗚隔壁的陳季陶也說要去外面抽菸，匆匆離開了包廂。他若不是去找張芝安，我的腦袋就砍下來當球踢。

「妳想出去？」鍾子嗚察覺到我猶豫的態度，「她是妳朋友吧？今天非常安靜，好像狀況不太好呢。」

「我跟她是同事，關係還不錯。」

「她跟陳季陶好像認識。」

「應該是認識，不過我不太清楚他們認識的原因……」

正當我因爲太不放心，打算起身去找張芝安的前一刻，鍾子嗚又說了讓我很意外的話：「其實我跟妳，好像也是認識的。」

「啊？」很好，這句話成功吸引我的注意了。

如此俊美的臉龐，若是眞的認識，我應該不會忘吧？

「妳是T大的校友對嗎？」

「對。」不過T大每年招收那麼多學生，成千上萬個，就算是同間學校，也不一定有見過面，「你也是T大的啊？」

「我是T大法律系畢業，後來又讀了研究所。」

「嗯，然後呢？」跟我講這些做什麼？難不成是在跟我炫耀他有碩士學位？

「然後……我今年屬雞，比妳大一歲，原本是妳上個週末要見的相親對象。」

「欸？」這一回，我的下巴都要嚇掉了，雙眼瞪大，感到不可思議。「眞的假的啊……你……」

「眞的啊，我的手機裡還有陳阿姨傳來的照片呢。」他爲了取信於我，對我亮出手機。螢幕上顯示的不是別人，正是我吃烤雞肉串吃到嘴巴歪斜、五官扭曲的醜照。乾，我媽跟陳阿姨眞是有毒，那麼多張照片，偏偏能選到這麼醜的。

「很可愛吧？」

小女才疏學淺，實在不太懂他說可愛是什麼意思。

「當我收到這張照片的時候，我就對妳很感興趣，才會答應我媽去相親。不過，相親卻被取消了，取消的原因是我相親的對象有了男朋友，無法前來赴約。」鍾子鳴把手機收回口袋，笑咪咪地說出讓我頭皮發麻的話：「學妹，妳不是有男朋友了嗎？爲什麼又會來聯誼？」

天公伯啊，我都大學畢業多少年了，怎麼會突然有種小考作弊被抓包的強烈既視感……

「難不成妳爲了騙妳媽，刻意找人假扮妳男朋友？」

眞是百發百中，我連辯解的辦法都沒有，只能傻乎乎地看著他，「你難道是福爾摩斯轉世嗎？怎麼什麼都知道？」

鍾子嗚被我滑稽的模樣逗得更樂，透亮的眼眸幾乎笑成一條線。

「妳眞的好有趣哦，是吃可愛長大的嗎？」

「吃可愛長大？可愛可以吃嗎？我吃米長大的啊……」

回應我的是鍾子嗚一連串哈哈哈的笑聲。我去，這到底是在笑什麼啦？中猴哦？

「那個，你不要笑了，我還要出去找我同事，可以麻煩你先幫我保守祕密嗎？不要跟陳阿姨和我媽透露我有男朋友是騙她們的。」我雙手合十，非常眞誠地拜託他。

如果他是個紳士，理所當然會一口應下，偏偏我遇到的不是什麼紳士，是一坨狗屎——

「哦？妳要我保守祕密是嗎？」光是聽到這個語氣，我就覺得很不妙。

而鍾子嗚完全不辜負我的預感，輕飄飄地說：「我當然會幫妳保守祕密，但是，妳想要拿什麼來報答我？」

下意識地想要飆出一句「報答你妹」，但爲了更美好的未來，只能忍辱負重地問：「你……想要什麼報答？」

「放心啦，我是法官又不是流氓，不會在妳毫無意願的情況下對妳性騷擾。我只希望，未來妳能夠答應我三件事。」

「未來？」這個人是怎麼想到未來的？我都想要跟他說「謝謝我們不要再聯絡」了，他還說什麼未來要答應他三件事，有病哦。

「第一個要求就是，可以給我妳的聯絡方式嗎？我想要與妳當朋友。」

如果可以選擇，我一點都不想跟這種超級無敵霹靂腹黑的墨魚君當什麼朋友。

可哪怕有千百個不願意，爲了能滿足他第一個要求，還是不甘不願地與他交換手機號碼和加上了其他通訊軟體。

一來一往，就被拖到去找張芝安的時間，聯誼也即將散場。

不知道怎麼回事，蔣致文、盧學山和兩位貌美的護理師們，喝日本酒也能喝得醉醺醺，必須靠別人攙扶才能走路。

張芝安的學妹和古良雖然比他們好一點，但也沒好到哪裡去，走路可以，扶人免談。

於是我一邊擔心大概患有嚴重便祕，導致上廁所上到天邊去，還沒回來的張芝安，一邊充當苦力，使出吃奶的力氣拉扯兩位妝都花了的美女。

不是各個都柔弱到仙氣逼人嗎？怎麼一喝了酒，就變成彪形大漢？

她們只差沒有在路邊吐——

「欸！妳不要吐！這裡清起來很麻煩！」

還沒把人扶到馬路，就發現其中一位護理師快要口吐芬芳，急得我摀住她的嘴巴。

「我、我要忍不住了……嘔……」百密總有一疏，另一個護理師完全不受控制，直接蹲下來吐在餐廳的大門口……OMG。

我下意識地回頭看，想說有沒有其他人可以幫我收拾這狼狽至極的場面。

然而鍾子鳴比我還慘，必須負責把發酒瘋的蔣致文和盧學山帶出來。剩下的兩個人，能管得住自己就阿彌陀佛了。

「方可緋？妳怎麼會在這裡？」

人生沒有最難，只有更難。正當我想要把人扔下，拍拍屁股一走了之的前一秒，我多日未見的好哥們兒麻清栩，橫空出世，莫名其妙地站在我面前。

「我、我是來這裡跟朋友吃飯的。你呢？你也來吃飯啊？」

麻清栩往我身後一看，冷冷地說：「我怎麼不知道妳有這麼多朋友？」

雖然我平時很遲鈍，但我跟麻清栩認識這麼久，當然知道他現在不太高興。

「我有多少朋友，你怎麼知道？數得來嗎？」在我說話的同時，被我摀住嘴巴的護理師掙脫我的手掌，跟著她的好姊妹一起在店門口大吐特吐。周遭有不少人圍觀這兩個奇葩生物，我則一個頭兩個大，「你不要在那邊看了！快幫我把她們扶起來！」

有點潔癖的麻清栩露出嫌棄的表情，「妳為什麼會跟她們當朋友？到底是喝了多少酒？」

俗話說得好，萍水相逢自是有緣，就算我內心對她們幹得要死，表面上還是得維護她們的形象。「她們工作壓力大，偶爾需要喝點酒來解壓縮，免得直接氣爆。」

「她們是做什麼的？」

「護理師，是目前這個世界上，最神聖的職業，沒有之一。」

麻清栩意外地挑起眉頭，不禁對底下的兩個醉鬼肅然起敬，「失敬失敬，我竟然這樣說我們的白衣天使……」

「嗯，我代替她們原諒你，不過……這位先生，你還站著做什麼？快拉她們起來啦。」

就算知道她們的職業，麻清栩依舊保持便祕十個月的臭臉，嫌惡地把吐得亂七八糟的「女士們」拉到旁邊的座位。

餐廳員工在裡面得知我們發生的慘劇，認分且好脾氣地拿著掃具與拖把，走到門口爲她們清理嘔吐物。

「要不要幫你們叫車？」店經理大概很怕我們的人繼續在這裡發酒瘋，用充滿善意卻不容許我們拒絕的態度說：「按照你們的人數，大概要叫三台車，可以嗎？」

「可以。」答應店經理的是不停安撫蔣致文的鍾子鳴。

蔣致文不知怎麼回事，悲從中來，抱著鍾子鳴大哭大鬧：「我到底做錯了什麼？她怎麼可以這樣對我！嗚嗚……我今天就是要讓那個女人知道……我……我蔣致文沒有她一樣過得很好！我……我就是要聯誼！嗚……來這裡尋找比她還要好一百倍的對象！我要氣死她……嗚嗚……我到底做錯了什麼？」

「你夠了沒？都分手幾百年了，你還惦記著人家啊？」好吧，鍾子嗚這些話實在不算是安撫，反而該歸類在刺激那一類，「你長得人模人樣的，怎麼就這麼小心眼？」

我呼出一口氣，心裡後悔一百次答應張芝安來聯誼，簡直比我去相親還要鬧，還是集體失控的那一種。

「他們也是妳朋友？」麻清栩顯然也聽到了蔣致文的哀號。

「那個……」我想要說點什麼來搪塞他，卻看到他一臉鐵青，瞬間失去講話這個基礎技能。

「妳是來聯誼的，是嗎？」

這個場景，完完全全可以說是大型社死現場。

麻清栩是眞的生氣了，很生氣的那種生氣。

「你……我……你……」你你我我說了好幾次，終究無法說清楚一句話。

好在店經理替我們叫的計程車來了，三台車靠在路邊，司機分別走下來，看了一眼歪七扭八、喝到快不醒人事的護理師們，直說：「這是喝了多少酒？快要酒精中毒了吧？確定她們不會再吐了嗎？吐的話要加錢哦，清潔費什麼的。」

「我知道我知道，她們能吐的都吐完了，應該不會再吐。」

某個計程車司機嘆了一口氣，下了很大的決心：「好吧，那把人扛上車。她們要去的地址有吼？先告訴我吧。」

始終迷迷糊糊的學妹勉強抬起千斤重的眼皮，艱難地報出一串地址，接著說：「我也要一起上車……我跟她們住得很近。」

「那我也坐這台，畢竟讓三個女生搭車不太安全……」司機先生安全不安全，我是不太確定。但我總覺得，古良說這些話，跟黃鼠狼給雞拜年一樣，眞的很不安全呢。

有眼睛的都知道，古良對學妹有意思。

但什麼鍋配什麼蓋，我看他們頭上頂的箭頭是雙向，而非單向。只要學妹願意，那麼就算搞出人命也不會成爲社會案件，頂多明年要多報一個戶口數，皆大歡喜。

「那就再見。」鍾子鳴揮了揮手，在古良準備爬上車的前一刻，突然講起了奇怪的句子：「事前使用保險套，事後就不會亂套。兄弟，你要謹愼做人。」

古良愣了一秒，隨後罵了一句「神經病」，立即把車門關上。

「他是不是有病？」麻清栩指著鍾子鳴的背影，提出發自眞心的疑惑：「怎麼講話這麼奇怪？」

「他是很有病沒錯。」雖然相處的時間不長，但我想鍾子鳴有病這件事，無論從哪個角度來看，都是千真萬確。

鍾子鳴嘲諷完古良後，轉過身把蔣致文和盧學山拉到另一台計程車上。比起失控的蔣致文，盧學山喝了酒就像沒有靈魂的芭比娃娃，安安靜靜任人擺布，哪怕鍾子鳴以一種很詭異的姿勢把他送上車，他的身體依然保持麻花卷的姿態，等著別人來解放他。

「唔，方小姐，很高興在這場聯誼能夠與妳重逢。這位應該是妳的朋友，我就不堅持送妳回家，先把他們送去資源回收場埋了。」

「不是……你幹麼一本正經說這種恐怖的話？」這個人不是法官嗎？法官都這麼OPEN，能夠亂講話的？

「哈哈哈，妳……真的很有趣。」

鍾子鳴笑完，又朝麻清栩看了一眼。

「好了，剩下的計程車就讓你們搭吧，反正妳的朋友和陳季陶不知道跑去哪了，應該不需要在這邊等，早點回家休息。」眼睛是看麻清栩，嘴裡的話卻是給我的。

提起我的「朋友」張芝安小姐，我就忍不住生氣。說要來聯誼的人是她，竟然還莫名其妙地在中途人間蒸發！

我打了好幾通電話給張芝安，每一次得到的都是：「親愛的用戶您好，您所撥打的電話目前無人接聽，請稍後再撥。」

要不是台灣的治安很好，而且張芝安是在沒有喝酒、意識清楚的情況下離開包廂，不然我都會以爲她被外星人綁架了。

「嗯，再見。」如果可以，我希望永遠不見。不過我有預感，鍾子鳴絕對會是那種死死糾纏派，不會輕易妥協與放棄的。

鍾子鳴再度用曖昧的眼神來回看了我與麻清栩。

「看什麼？快點走啊。」我有點惱怒，語氣不太好地說：「難道是忘記回家的路？」

「沒有，我沒忘記。」可無論我怎麼發脾氣，對鍾子鳴就好像是一顆拳頭打在棉花上，軟綿綿的，沒有半點效用，反而還讓他更開心，「我走了哦，再聯絡。」

好不容易鍾子鳴和他的小伙伴們終於搭車離開，留我跟還在生氣的麻清栩站在街道旁。

「你們有要搭車嗎？有要搭車的話就快點，不然我要去接下一組客人。」剩下的計程車司機對我們這種都都磨磨的客人，同樣耐心盡失。

麻清栩微微側過身，把我擋在他的身後，對著司機說：「我們沒有要搭車，抱歉讓你多跑一趟。」

「欸！」我看計程車要開走了，拉扯麻清栩的衣袖，小聲喊：「我要搭車啊，這裡離捷運很遠呢。」

「我有開車，車子就停在附近的停車場，我會送妳回家，不用擔心。」那我還不如去搭捷運。

不過，再怎麼抗拒和不想面對，我還是硬著頭皮跟隨麻清栩走到停車場。

「這應該是妳第一次坐這台車吧？」麻清栩走到一台日系的白色休旅車旁，手一握住門把，車子便自動啓動。

雖然我在科技業混了很多年，仍不得不感嘆科技的日新月異，連開個車門都有這麼炫炮的效果。

「嗯，這是你回國後買的？」

麻清栩點點頭，讓我坐上副駕駛座。

我有點想逃走，奈何麻清栩的威壓太強大，現在跑走可能會被他拖回來，只能服從指令，坐進寬敞舒適的車內。

「你今天來做什麼的？就這麼載我回家好嗎？」等我繫好安全帶，才後知後覺地發現麻清栩還沒講他為何要去那間餐廳。

「原本我想要請工作室的下屬吃飯，但……之後再請吧。我已經取消訂位，也傳訊息通知他們了。」

「什麼？你要請客就去請啊！幹麼非要載我回家？就說我搭計程車回去就好了，你偏要載我。」一想到耽誤他的行程，我心裡覺得很彆扭，「你把車子停在前面，放我下去後再回去赴約。」

「神經病哦，我都取消了，還回去幹麼？」

「你才神經病吧？」我跟他到底出了什麼問題，怎麼他腦袋的頻率，跟我的完全不一樣？

「之後再請就好了，又不是什麼大事。妳先別念我，快告訴我妳住在哪，免得我走錯路，還要繞一大圈。」

「你爲什麼要請客？」

「啊？什麼？」

「你爲什麼突然要請客啊！一定有原因的不是嗎？是工作室的定期聚餐？你都約了大家，怎麼可以不出席？」

麻清栩呼出了一大口氣，坦言：「最近工作室完成了一個大案子，今天本來是想開慶功宴，讓大家可以聚在一起吃吃喝喝。」

「那你還這樣！」

「我怎麼樣了？我看到妳跟一群我不認識的人——不對，是我不認識的醉漢們走在一起，難道不會擔心嗎？我就是很擔心妳，才會堅持送妳回家。聚會可以再延，但妳要是出了什麼事，我該怎麼辦？我又怎麼跟妳媽交代？」麻清栩越說越氣，趁著紅燈，扭過頭瞪著我，質問：「平時我約妳，妳都跟我說忙，說加班都加到來不及睡覺，那為什麼還有時間來聯誼？」

「那是因為我同事堅持要我來參加，我拗不過她才來的。平常我是真的忙，每天都在加班啊，又不是故意騙你。」

「那妳同事呢？是哪一個？難道是那兩個喝到迷迷茫茫的護理師？還是走路都要別人扶的那個短髮女人？」

我翻了一個白眼，有點生氣，氣自己都到這個時候了，竟然還覺得麻清栩在乎自己的樣子很帥。

仔細一想，這個男人哪裡帥了？根本是個超級控制狂！

「她，我同事，去上廁所，所以你才沒有遇到。我沒有騙你！我幹麼騙你啊？」

「她是掉到馬桶裡去了，還是便祕太嚴重？我們剛才待在門口二十分鐘，都沒看到人影，妳跟我說她去上廁所？」

「我也很想知道她是掉到馬桶裡、還是便祕、還是被外星人抓走！我也很擔心好嗎？啊她就是不見啦，打電話也不接，我有什麼辦法？」看麻清栩還是一臉狐疑，我就生氣，氣到口不擇言：「你會不會管太多了？我下班之後跟誰見面、怎麼安排我的時間，干你什麼事？你幹麼要對我的私生活指手畫腳？」

話一說完我就後悔了，知道自己講得太超過，沒有拿捏好分寸。麻清栩聽到我這麼說，原本就不好看的臉色變得更差。

「是，我憑什麼對妳指手畫腳？是我錯了，我不應該這樣。」

「喂……」內疚的感覺頓時湧上。

「我只是想，我們當了這麼多年的朋友，妳有時間跟別人聯誼，卻沒時間與我一起吃飯，實在是有點過分。不過，妳說得沒錯，我是管太多了，妳想怎麼分配時間是妳的自由，我不該管妳，也不該支配妳的時間。」

我的心頭一緊，眼眶瞬間發燙，張開嘴想要說點什麼，卻怎麼樣都說不出一句道歉的話。

「抱歉，是我強迫妳搭我的車，但妳人都坐上來了，就告訴我地址，讓我把妳送到家吧。」

到最後反而是麻清栩先跟我道歉。

我抿了抿雙唇，強忍想要哭的衝動，艱澀地說：「……跟以前住的地方一樣。」

「嗯？」

「就是在T大附近，我以前的租屋處。」

麻清栩再度露出不可置信的表情，「妳出社會工作六年，每年都在科技產業裡拚死拚活，年薪破百萬，卻還是住在那種破爛地方？」

「是，我到現在還是住在那種破爛地方。」我垂下頭，不願意看他，「麻清栩，我跟你不一樣……我沒有你那麼好的家世、那麼好的才能、那麼好的創意與衝勁，可以開工作室當老闆，還能做出很新穎的APP，過著煥然一新的生活。我……我就是什麼都沒有，跟你完全活在兩個世界！就這個樣子，你能明白嗎？」

面對我既失控又自卑的哭喊，麻清栩沉默了很久。

直到他把車子開到T大附近，由老公寓聚集起來的社區，他才緩緩開口：「我不明白。」

他看著我，好似要用眼神穿透我幾乎要枯朽的心靈。

「我們沒有活在兩個世界。之所以會有隔閡，是因為妳，刻意用一道牆把我區隔在外。」

我顫抖著，覺得自己又蠢又狼狽。

「方可翡，妳可以告訴我，妳到底在想什麼嗎？」

第五章　思念的重量

我，究竟在想什麼呢？

面對這個問題，我的腦袋一片空白。也許，連我都不知道自己在想些什麼。

「所以說，你們就這樣莫名其妙地大吵一架？」

距離我與麻清栩不歡而散，又過去了三四天，這段期間，我不斷地想著該如何向麻清栩道歉，承認是我太自卑，才會說了那麼多奇怪的話，不僅傷害了他，還把自己講得那麼可憐，跟白蓮花似的。

或許是我的憂鬱太過明顯，再度被八卦女王張芝安識破，在她的連番追問下，我把當晚的狀況告訴她，得到她犀利的評論：「妳不是喜歡他嗎？怎麼對他就好像吃了一斤的炸藥，都不能好好講話，語氣那麼衝，把別人的關心當狗屎？」

「我沒有把他的關心當狗屎，我是覺得他約了其他人，就該去赴約，不應該爲了我……算了，反正說到底就是我的錯，我不該對他態度那麼差，但我也不知道是怎麼回事，每次只要面對他，我心裡就會很急，深怕跟他多相處一秒，就會曝光我對他的喜歡。」

「那就曝光啊！我不知道妳在猶豫什麼耶！聽妳這麼說，可以百分百肯定他是喜歡妳的，妳幹麼一直否認這件事啊？」

「我沒有否認，是因爲妳說的根本不可能啊！我跟他當了那麼多年的朋友，要是他喜歡我的話，爲什麼不早說呢？」

「呵，妳這樣是『只許州官放火，不許百姓點燈』好嗎？妳也喜歡他這麼多年，爲什麼妳沒說，他要說？而且妳每次都說什麼朋友朋友，最好有男生和女生當朋友會這樣當啦！他那麼擔心妳，跟別人爽約只爲了送妳回家，妳還不承認，繼續當縮頭烏龜！」

聽張芝安這麼分析，我不由得感到愧疚，覺得自己根本是個騙人感情的渣女。但就事實而言，我跟麻清栩不是這樣的……

「我要是告白了，到最後連朋友都沒辦法當。」

張芝安露出厭惡的表情，語重心長地說：「方可翡，妳的腦袋沒問題吧？妳現在這個樣子，算是還能跟他當朋友？每次他約妳，妳就躲；遇見本人了，妳又發脾氣。從他的角度，眞的會很莫名其妙耶，在這之前，你們相處會是這樣嗎？」

「不會……之前，就是大學的時候，我們相處不會這樣。」

「那就對啦！你們相處的氛圍已經跟以前不一樣了，顯然是你們的心境都變了，讓妳沒辦法自然地面對他。我要是妳，就直接告白，反正喜歡就在一起，不喜歡就拉倒。」

我不是笨蛋，知道張芝安這些話講得很有道理。

是，我們之間的關係跟過去不一樣了，再也沒辦法很自然地相處。

偏偏我放不下他，也無法好好面對，逐漸變成這樣一言難盡的相處模式。

「妳爲什麼會變得不一樣呢？」張芝安看我一臉自閉，忍不住追問。

「大概是他跟我回家，在我媽面前當我男朋友這件事，讓我壓抑不住對他的遐想。我太渴望他了，看到他就會想笑，像個傻子，無法轉移視線。」無論我多麼不想承認，我在餐廳門口與他偶遇，有震驚、有詫異，可最多的還是雀躍。

在這偌大的都市裡，能夠偶遇，難道不足以代表我們之間的緣分嗎？

我忍不住這麼想，卻又對這樣的想法感到自我嫌棄。

「爲了掩飾心動，我只能用各種更劇烈的情緒來掩蓋。」

「那我們再回歸之前的話題。就是妳爲什麼不告白？喜歡一個人又不是犯罪，妳告白了也不會怎樣吧？」

垂下眼眸，我搖搖頭低語：「我配不上他。」

「什麼？妳配不上他？他是尊爵不凡的王子嗎？妳也沒多差，爲什麼一直認爲自己配不上？」

一個生長在破碎家庭，差點被親生父親強姦的殘渣，怎麼會配得上麻清栩？他那麼好，那麼善良，願意包容我的一切，與我當朋友，已經是我人生中最幸運的事了。

「妳不知道啦，這件事說來話長。」

「不是說來話長，而是妳不想說，是嗎？」

「嗯……可能是我真的不想說。」很早以前我就意識到自己不太正常，雖然沒有嚴重到無法與人相處，但只要跟異性有任何肢體上的接觸，就會感到焦慮噁心。

唯一的例外是麻清栩。

他總是讓我很放鬆，不會時時刻刻緊繃戒備，能與他正常互動和談天說笑。

因爲有他，我能扮演一個正常人……卻又不是那麼正常。

「不要再說我了，說說妳吧。那天，妳到底跑哪裡去了？完全人間蒸發耶！還有，妳跟陳季陶是什麼關係？」

張芝安眼神游移，開始閃躲，「就是去上廁所啊……沒有去哪裡……」

「我聽妳在放屁，妳是上廁所上到痔瘡發作是不是？上了那麼久，連電話都打不通。」

「唉呦，這件事說來話長。」

「妳不要學我說話！好好給我說清楚。」

張芝安扭扭捏捏了一陣子，好不容易才說：「我之前不是有用APP租假男友嗎？」

「是啊，難不成那個陳季陶就是妳租的假男友？」

「事實上，我租的人不是他，但赴約的人是他。」

「還能這個樣子？妳不是跟我說，這個軟體很安全，不會有這種事發生嗎？」不行，我得找個時間來說說廊清楚，這是什麼鬼玩意設計，每天都有掉包事件。

「妳不要說出去啊，這件事情他們管理方應該不知道。我原本租的人是他弟，他弟夢想成爲演員，目前還在跑龍套，因爲缺乏收入，才會在APP上面擔任出租男友。而且……我不是租五千等級，是一天三千，這級別只要長得帥，不會考核他做什麼工作。」

「妳不是跟我說，妳是租五千等級的？」若非她一直鼓吹，我也不會咬緊牙關租男友。

「我、我有這樣說嗎？」

「張芝安！」

她一見我生氣就慫了，尷尬地揮手，「好啦好啦，是我錯了嘛！我就是一時鬼迷心竅，才會胡言亂語。對不起對不起，妳原諒我吧。」

「妳那時候怎麼說？說如果要花錢請人，就要請最好的！白金優質男不只臉長得帥、身材頂呱呱，連學歷和涵養都是千挑百選！妳倒是好啊，騙我花了五千，自己卻租一天三千的？」

「小聲一點啦！午休時間妳也別喊這麼大聲。」張芝安拉著我的手，試圖要我恢復冷靜。

「什麼鬼迷心竅和胡言亂語，都是妳刻意想騙我，才隨意講出來的藉口！」我實在是太生氣了。張芝安這傢伙，就是個巨坑，一不小心就會栽在她身上。

「妳的記憶力怎麼這麼好啊，我當時說什麼妳都記得……」

「這是重點嗎！」

「唉呦，妳幹麼這麼生氣？反正最後妳也沒眞的花錢啊，不是遇到妳那個『朋友』，把錢退回來給妳了？」

我就是對張芝安這種散漫的態度感到咬牙切齒。

「其實我也想租五千的啊。我跟妳不一樣，花錢大手大腳，還要寄錢回家、繳儲蓄金，搞到最後實在是沒什麼活錢好用。所以我只能請三千的呀，但又不能跟妳說我只請三千的，會讓我覺得很沒面子。」

「爲了妳那個狗屁面子，就要拿我當冤大頭？」

「也不是這麼說嘛……對不起對不起，拜託妳原諒我。」

我努力壓抑想揺她的衝動，呼出一口大氣，平復心情後說：「算了，我先不跟妳計較三千還是五千……妳繼續說妳跟陳季陶之間的事。」

「哦，好啦，只要妳能夠氣消，我什麼都說給妳聽哦。」

「少油腔滑調了，快點！」

「就是啊，我原本在心燦APP上面租的人是他弟弟陳季安，不過見面那天，陳季安突然臨時有試鏡，沒辦法赴約，又沒錢賠違約金，所以只好哀求他哥頂替他當我的假男友。」

聽完，我狐疑地皺眉，「就這樣？這事很簡單，妳幹麼講得那麼彆扭？」

「我會這麼彆扭的原因是……我不只租了一次。」

「蛤？妳第一次說是要與妳前男友和搶了妳前男友的垃圾朋友見面，不想太沒面子才花錢聘假男友。第二次呢？還有接下來的無數次，妳是用什麼理由說服自己的啊？」

「我沒說服自己啊，我就是想見陳季陶，才一直花錢找他見面。雖然我覺得這樣很不可取，好像花錢請牛郎來撫慰我的心，但我沒辦法控制……只要見到他，我就很高興，感覺生活更有動力……跟妳見到妳喜歡的那個人一樣。」說到最後，張芝安垂著頭，可憐兮兮地把話題扯到了我身上。

我翻了一個白眼，直說：「張芝安，妳給我好好講話，不要在我面前裝可憐。我不是直男，不會輕易被妳騙過。」張芝安才不是那麼脆弱的人，多半是裝的，刻意演給單純的直男看，以柔弱增加對方的保護欲。

果不其然，下一秒她就一臉便祕地抬起頭，「方可鼾妳好煩哦，能不能別拆穿我？」

「妳才煩吧？我們兩個女的，妳演什麼演？當然要拆穿啊。」

張芝安撇撇嘴，「妳別看我現在渾身上下散發出綠茶味，我在聯誼當天真的很傷心啊，我不知不覺喜歡上對方，每天像個十六、七歲的小女孩，想著該如何傳訊息來套他的行程——結果他說的那些行程都是騙我的！他一個書記官，哪有那麼多試鏡！」

「他把他弟的行程告訴妳？」

「對啊，我那時候不知道，還曾打算要去試鏡地點給他應援。不過我們那一陣子忙得比狗還要累，加班加到快吐了，連排時間去探班都不行。」

「所以妳到底租了幾次假男友？」

此時，張芝安又開始眼神閃躲，不太想正面回答。

「該不會超過五次吧？」

「唔……妳先答應別罵我，我才說。」

「這我不敢保證，因爲從妳的態度來看，一定是超過五次！張芝安，妳眞的很有病耶。」

「我也覺得我很有病。」她用手撐著頭，無奈坦承：「我一共租了他九次。但心燦有規定同一個人只能租三次，所以剩下的六次，我都是傳訊息約他出來。」

「不對啊，這離妳跟我安麗租男友才過了多久？妳就約了人家這麼多次？」

「我忍不住啊！就是忍不住才用盡各種理由找他出來。而且，他也沒抗拒我的邀約，每次都會來。」

「廢話，如果每次都有人狂塞錢給我，我當然會盛裝出席。」

「不是不是，妳怎麼心思如此邪惡啊？他不是爲了錢！是不忍心讓我失落！我知道他不是那種騙財的人。每次我們結束『約會』，我會把裝了三千元的信封袋塞到他的手裡，他都不會收，跟我推拒了好久……」

「這眞像是過年小朋友收到遠方親戚給的紅包，都要假意客套，推來推去的蠢樣子。」

「妳可不可以不要描述得如此生動……讓我非常有畫面感。」

「沒辦法，幽默和誠實是我的美德。」誰叫我講話就是這麼有趣，還能舉一反三，根本是人間笑話界的至寶。

「但是！我們聯誼那天，陳季陶追出來，愼重地跟我道歉，還去銀行把我之前強塞給他的錢領出來還給我。」

「說不定他是想放長線釣大魚，先取得妳的信任，再一舉騙更多的錢。妳這樣不行啦，太容易暈船了，還不遵守APP的規範，到時候眞出了什麼事，妳可別哭。」

張芝安顯然聽不進我的苦言相勸，還說：「妳的思想太邪惡了啦！他不是那種會騙人的人，不會想釣什麼大魚，而且我算什麼大魚啊？一窮二白，什麼都沒有呢。」

我不知道該說張芝安天眞，還是蠢。看著她一臉憧憬，陷入無限美好想像的模樣，我忍不住重重嘆了一口氣。

「無論如何，妳要保護自己，千萬不要傻傻的，把自己的所有毫無止盡地付出。」

勸別人的時候都能勸得頭頭是道，換成自己，又會重蹈覆轍，陷入對愛情的迷茫。

晚上九點，我難得沒有加班，可以躺在床上耍廢，但耍廢也有耍廢的壞處，只要我腦袋一放空，就會開始想念穊清栩。

「到底要不要……跟他道歉呢……」抱著枕頭滑手機的我，不斷翻閱與穊清栩的對話紀錄。

越翻越心酸，感覺我就是個神經病，明明穊清栩也沒做什麼對不起我的事，我還一直單方面與他保持距離。

「啊啊啊！方可緋，妳眞的超級難搞！到底在幹麼啊啊啊！」由於太過愧疚，我開始在床上瘋狂翻滾，最後氣喘吁吁地坐起來，認命地拿起手機，點開與麻清栩的對話框，躊躇著該打些什麼，來表達我對他的歉意。

說抱歉好像有點隨便，說對不起又太嚴肅了……還是不要道歉，直接轉移話題比較快？不行不行，這樣不行……

正當我反覆猶豫，遲遲無法輸入半個字的時候，螢幕上突然顯示一通來電——

「啊！」

打給我的不是別人，是我心心念念的麻清栩！

我嚇得連手機都拿不穩，砸在枕頭上，又急急忙忙地翻過來接通電話，「麻、麻清栩……」

「請問這是方可緋小姐的電話嗎？」雖然是麻清栩的電話號碼打來的，但說話的人不是他。我全身瞬間彷彿都洩了氣。

「喂？有聽到我的聲音嗎？」

「有聽到。請問你是？」我把散亂的頭髮隨意往後一撥，略微頹喪地詢問。

「我是麻清栩的員工簡伯亞，跟老闆在某間日式餐廳聚餐，但是他喝醉了，大家拉也拉不走，他一直在喊妳的名字，說要妳來接他回家……老闆！你等一下，我已經在打電話了！」

除了這員工尷尬彆扭的解釋外，中途我還聽見麻清栩喊著：「方可緋快過來！

我……我好不舒服……」

「妳方便過來接他嗎？地址我再傳給妳，他實在是鬧得太嚴重了。」接著簡伯亞報了餐廳的名字，又被發酒瘋的麻清栩打斷，「老闆！你坐下！」

他們聚餐的餐廳，就是我上次聯誼的那間日本料理店。

我知道麻清栩的酒量很差，而且一喝就會鬧，鬧完了就會吐，吐乾淨了還會起酒疹、皮膚癢。總歸一句，喝酒的麻清栩跟奇異果一樣，渾身都是毛。

「方可緋！」

這一聲喊得很可憐，足以讓我想像他委屈嘟嘴的傻樣。

「你不需要傳地址給我，我知道怎麼過去。現在出發的話，大概十五分鐘會到。你幫我安撫他一下，別讓他鬧得太厲害。」

簡伯亞苦笑地說：「他現在已經鬧得很厲害了……拜託妳快點來吧，我們都快受不了了……」

我把電話掛了，迅速換了一套外出的運動裝，背著裝了皮夾與手機的小側背包衝出門。跑到大街上，立即攔住一台計程車，我心急如焚地跟司機報了餐廳的地點，一路上都在擔心麻清栩。

有時候，我會有麻清栩其實很需要我的幻覺。

尤其在他喝了酒之後，嘴巴喊的人名總是我。

他會「方可翡、方可翡」一直叫著，只要我在他身邊，就會對我傻笑。笑完，隨即抱著垃圾桶大吐特吐，怕我擔心，還會抬起頭安撫我，說他沒事。

這傢伙，大概跟我五行相剋，把我吃得死死的。我看他那樣子，又好笑又心疼，跟他說別喝那麼多，他就淚眼汪汪委屈地說：「我只喝半瓶啤酒，沒喝多少呀。」是，是沒喝多少。就是有些人不能喝酒偏要喝，才把自己搞得狼狽不堪。

記得最嚴重也最搞笑的一次，是麻清栩中了兩人免費露營的票券，不顧我的拒絕，強行把我帶去陪他踏青，可剛搭完帳棚，坐下來休息喝口水的時候，他擰開露營地贈送的冰鎮酒精飲料，趁我不注意喝了半罐，臉色瞬間通紅。

我一開始還搞不清楚狀況，問他是怎麼了，爲什麼臉會紅成這樣，直到我看到桌面上擺的玻璃瓶，差點被他氣到翻白眼。

「你不能喝爲什麼還喜歡偷偷喝？」在我罵他的同時，他已經神智不清，手不受控地抓身上冒出來的酒疹。

連續打了好幾個嗝後，他笑咪咪地對我說：「因爲……這很好喝……味道跟啤酒不太一樣……嗝……酸酸甜甜的……還有點苦……」

「又酸又甜又苦，你是味覺失調哦？」

「方可翡……妳喝喝看，喝喝看，很好喝的。」

由於方仰德那禽獸長年酗酒，我對酒精沒有什麼好感，但或許是麻清栩喝酒的樣子太可愛了，我看著他，無論怎麼壓抑，就會想笑。

「可翡……妳笑得眞好看……我去摘一朵花給妳，妳等我……」說完他搖搖晃晃地站起身，想要去旁邊的草皮殘害花朵。

「你摘花給我幹麼？」

「給妳夾在耳朵後面……當阿花……」

聽了他的理由，我覺得他徹底變成智障，「不需要！你乖乖坐好，等一下你又要跌倒！」

果不其然，下一秒他就腳殘絆到石頭，跌在草皮上，他不覺得痛，對著我哈哈大笑，笑到眼淚都流出來。

我問他有什麼好笑的，他回答：「沒什麼不好笑的啊！跟妳在一起……就很快樂。」

「笨蛋。」我走到他身邊，試圖把他拉起來，卻反過來被他往下一拉，撞到他的胸膛，被他半摟半抱著。

他完全不在意，而我的心跳卻失去應有的規律，整個人好像被火燒了一遍。

「方可翡。」

「幹麼？」

是人就會有私心，縱使我多想掩蓋自己對他的喜歡，在那一刻，我根本不想離開他的懷抱。

「妳……」他停頓了幾秒鐘，讓我不禁猜測他究竟想說什麼。

「嗯？」明知有多麼不可能，內心還是會有……無法克制的期待。

「妳好像……有點重。」

我傻了一秒，深刻體悟到「期待有多大，失望就有多大」的道理，隨後氣呼呼地鼓起雙頰，伸手拍了他的額頭，「你這個笨蛋！重你妹啦重！」

「小姐，前面就是那間餐廳了，我停在這裡妳比較好下車，不然那裡車多又是紅線，妳會匆匆忙忙的。」

計程車司機的話，瞬間把我拉回現實。

「好，請問車資多少？」聽了司機報的數字後，我抽出幾張百元鈔票遞給他找零。

走下車，我的雙手因爲緊張抓緊了側背包的肩帶，站在人行道上等待紅綠燈，眼前車水馬龍的畫面深刻地映入眼簾。這個城市，好像無論什麼時候，都是色彩斑爛，不曾黯淡。

黯淡的，往往只有既傷心又徬徨的人類。

當行人號誌閃爍著綠色的光芒，我往前邁開腳步，卻越來越猶豫——張芝安說，現在的我之所以會對麻清栩若即若離、忽冷忽熱，是我開始有了期待。期待我與他能發展出不同於朋友的關係，但我遲遲無法跨出下一步，只能不斷在內心祈禱他能莫名其妙地看上我這個人。

我啊，就是太不知足、貪得無厭，才會對麻清栩這麼壞。

「我沒有喝醉！你們放開手！我、我要去找方可緋……」經由餐廳服務生的指引，我抵達麻清栩所在的包廂，在門口就能聽到他的大嗓門。

「老闆，你眞的喝醉了啦！」

「誰說我喝醉了？我才不會喝醉！」麻清栩這醉鬼竟然信誓旦旦地說自己沒喝醉，根本是天大的笑話。

我無奈地推開拉門，正想當著他下屬的面叨念他幾句，看見蹲在麻清栩身邊的人，我頓時失去組織語言的能力。

對方同樣看到了我，表情沒有多意外，平靜的視線宛如雷射光束，頓時在我的心上轟出一個窟窿。

「可緋，好久不見。」她是麻清栩在大四的時候，疑似交往的女朋友，葉凱娣。

之所以說疑似，是因爲麻清栩從來沒有對我說他們在交往，但系上有很多傳言，說他們已經祕密交往一段時間。

我理智上知道不能聽信傳言，應該要跟麻清栩做確認，不過，我太害怕受到傷害，無論怎麼做心理建設，每當想問出口的前一刻都會打退堂鼓。到最後一切就不了了之，變成一個懸念。

但我確定葉凱娣很喜歡麻清栩，她看他的眼神總是既甜蜜又溫柔，像是一顆蜜糖。

「好久不見。」在這陌生的場合，我只能努力擠出微笑，但尷尬的感覺讓我產生想逃走、躲避人群的衝動。

好在麻清栩雖然喝醉了，但還沒傻到家，他認出我的聲音，努力聚集渙散的目光，對著我大喊：「方可翡！妳怎麼這麼慢？」

我急忙脫下鞋子，走到他的身邊，伸手碰觸他發熱的臉頰，「你喝了多少？嗯？」

「沒喝很多……」他反過來抓住我的手腕，委屈地抱怨：「妳怎麼這麼慢啊？去付個錢，怎麼會付這麼久？」

呵，麻清栩這傻子，喝酒喝到記憶模糊，穿越時空回到過去了。

不過他這麼一問，我就想起這場餐聚應該是麻清栩做東，他現在喝成這樣，肯定付不了錢。

「那個，請問簡伯亞是哪一位？」扣除麻清栩、葉凱娣和我，在場的員工差不多有十五個左右，我全部都不認識，只能硬著頭皮找出剛才打電話給我的人。

「我！方小姐，我就是簡伯亞。」站在我左側，身高差不多一百七的男生立即舉手。他稚嫩的模樣，都讓我懷疑他是不是未成年。

麻清栩再怎麼禽獸，也不該招收童工呀。

「你好，我是方可緋，這場餐聚的帳，是不是麻清栩要付？他現在這個樣子，我幫他代墊吧。」

簡伯亞愣了一秒，隨即拒絕：「不用不用！我們等會讓會計去付錢，然後報公費就好了。妳是老闆的朋友，怎麼好意思讓妳刻意趕過來付錢呢？」

「就因爲我是他的朋友，才應該幫他的。」我說這句話的同時，智商倒退成幼兒的麻清栩還拉著我的手鬧，反覆說他不舒服，想躺著休息。我被他搞得很無奈，又不能當著他下屬的面罵他，只能咬牙容忍他的「撒嬌」。

「眞的！請會計報帳就好了。而且方小姐願意過來把老闆接走，我們就千謝萬謝了。他平時跟我們聚餐滴酒不碰，今天不知道怎麼回事，竟然偷偷在角落喝半瓶日本清酒……等我們發現的時候，他已經不是我們印象中的老闆了……」說到最後，簡伯亞哭喪著臉，大概是被醉鬼蹂躪得很慘，如今把我當成救世主。

我想笑，又必須控制表情，只能抿起雙脣強忍笑意。

「我想回家……」麻清栩靠著我的手臂，音量近乎呢喃。

「好，我帶你回家，不過在這之前，你先站起來。」

麻清栩瞇著眼睛，當眾乖乖地站起來。

「轉過身。」

他腳步不穩，扶著我的肩膀，半扭過身軀。我笑了一下，從他褲子後方的口袋掏出錢包。

「方小姐？」簡伯亞看著我們奇妙的互動，傻眼地瞪大眼睛。

我打開錢包，裡面果然放了一疊鈔票——麻清栩有個習慣，如果知道他當天要請客，就會提早領一筆錢，結帳的時候用現金付款。

我曾問他，為什麼不用信用卡付款？他笑著回我，請客就是要請即時的，用現金最保險。

雖然不知道他這古板的觀念是從哪裡來的，不過大學時期我就知道麻清栩會這麼做，而這次也不例外。

「這有八千塊，你再麻煩會計小姐等一下用這筆錢支付。」我把錢塞到簡伯亞的手中，隨後說：「你不必擔心啦！這本來就是他要用來請客的錢。」

簡伯亞瞪大眼睛，支支吾吾：「可、可是老闆沒說……」

「反正這一攤最後也是他請，直接拿這筆錢來付沒什麼關係，若有剩下的錢，之後再拿給他就好了。你放心，等他醒了我會和他說的，他不會怪你。」

「哦……好的，我知道了，謝謝方小姐。」接過錢的簡伯亞轉身交到一個綁著馬尾的女生手上，我猜想她應該就是工作室的會計。

「好了沒？我想睡覺。」麻清栩很喜歡在我與別人講話的時候插嘴，還會跳針一直鬧。

「好了好了，你安靜。」看他站得搖搖欲墜，我便主動握緊他的手掌心，不讓他往後跌。

眼角餘光我看見一旁沉默不語的葉凱娣，臉色始終不是很好。她用平靜的視線，觀察我們的一舉一動。

「小緋。」突然，葉凱娣喊了我的名字，瞬間讓我起了雞皮疙瘩，「我記得阿栩是開車來的，妳需要人載嗎？我可以幫忙。」

對於自己的情敵，我實在無法保持寬大的心胸，我一邊微笑一邊搖頭，「謝謝妳的好意，但妳不用擔心，我會開車。我等一下去把車開過來，再麻煩簡先生幫我把他帶上副駕駛座。」

「唔，方小姐，我去開車好了，現在老闆離不開妳，妳要是走去開車，他肯定會把這個包廂拆爲平地。」照顧瘋癲的麻清栩照顧到怕的簡伯亞，顯然很害怕我留下大魔王讓他們應對。

「好，那麻煩你了。」說完，我扶著還算乖巧的麻清栩緩緩走出包廂，簡伯亞則快速地朝附近的停車場邁進。

我把人帶到餐廳外側，讓麻清栩坐在等候椅上。他垂著眼眸，似乎在睡覺，又好像沒有。

「這麼多年沒見，在小䨲身上卻沒感受到什麼變化。」一同出來的，還有動機不明的葉凱娣。我不知道她爲什麼如此不死心，非要與我說話。

我只能繼續當個溫柔有禮的好人，保持耐心與她交談：「怎麼沒有變化？胖了很多，還開始冒白頭髮了。這些，在我們大學的時候，是從來沒想過的事。」由於情敵相見分外眼紅的關係，我對她實在沒什麼好感，也很討厭她這種輕飄飄的說話方式。

不過，遇到這種人，除了與她裝下去，採取其他任何行爲好像都很掉價。

「妳才是沒變化的人吧？還是那麼漂亮，跟仙女一樣。」

「像仙女也沒什麼用，再怎麼漂亮，只要別人不需要，都是累贅和虛有其表的擺設。」葉凱娣的雙手插在口袋裡，淡淡地說：「我眞的沒想到今天會遇到妳，也沒料到妳在放了麻清栩鴿子後，還能神色自若地出現在他身邊。」

葉凱娣的話讓我心一沉。

她指的放鴿子，應該就是我當年因意外臨時反悔，沒有與麻清栩一起去美國的事。我後來輾轉得知，葉凱娣隔一年後，靠著好不容易申請到的獎學金，也遠渡重洋到國外進修。

「是啊，我也很好奇我怎麼能夠……神色自若地出現在他身邊。」

我轉頭與葉凱娣對視，盡可能語氣平和地回應她的質問，但這句話同時也是對自我的質疑。

氣氛瞬間有些冷，然而，只要有麻清栩這個醉鬼的存在，我跟她根本無法徹底吵起來。

「方可翡……妳好慢哦……到底在說什麼？」麻清栩掙扎著，勉強睜開眼睛，迷濛地望著我，「妳好慢哦……」

「我哪裡慢了？我一接到電話就趕過來了耶。」

麻清栩再度閉上眼睛，緩緩地搖頭，「妳眞的很慢……」

在他接續嘮叨前，到附近停車場開車的簡伯亞，把車停靠在路邊，他下車與我費了一番力氣把麻清栩推到車上。

「謝謝你們，那我先載麻清栩回——」

「妳難道就不好奇，麻清栩那些年，在美國是怎麼過的？」

我握著車門的把手，不明白葉凱娣這些話是什麼意思。

「他當年因爲妳，消極了好一陣子。如果妳無法下定決心對他好，就不要再靠近他。無論他需不需要妳，妳這樣只會把他傷得更重。」

簡伯亞被突如其來的修羅場嚇得說不出話。

我同樣不知道該說什麼才好，靜靜地站了一會，才嘆了一口氣，一言不發地坐上駕駛座。

雖然我能解釋當年爲什麼會放痲清栩鴿子，但不論是什麼理由都蒼白又無力。因爲這世界上，沒有任何理由，能夠讓人理直氣壯地傷害另一個人。

辜負他的信任，讓他獨自前往美國確實是我的錯。

「小緋……妳……」

我發動引擎，靠著內建的導航，載著痲清栩往「家」的方向前進。

一路上，痲清栩不知道回想到什麼，一直顚三倒四地呢喃。

直到我把車子開到某棟高級大樓的地下室，我才清晰地聽見他對我說：「妳好慢哦……怎麼可以，讓我等這麼久……都不來找我？」

胸口頓時被重擊，壓得我快要喘不過氣來。

「妳知不知道……我有多……我有多想妳嗎？」

等過了很久以後，我才明白，原來使我感受到難以負荷的，是名叫「思念」的重量。

在聽到他「抱怨」的當下，我感覺到眼眶的溼潤，雙手無法抑制地顫抖。

「我很想妳，方可緋……我眞的，非常非常非常想妳。」

第六章　翻覆的小船

思念是壓倒理智的最後一根稻草，充滿愧疚的暗戀，則成爲了情慾的催化劑。

隔日清晨，我因擺在床頭櫃的手機不斷震動，睜開了眼睛。

天花板不是我熟悉的天花板，身下躺的床，雖然舒適，卻也不是我習慣躺的床。

當充滿黃色廢料的記憶全數在腦袋回放的同時，我整個人已經跟煮熟的蝦子一樣，連腳趾都蜷曲著——我與麻清栩，上床了。

我摀住嘴巴，無聲地尖叫。意識到自己渾身赤裸，簡直快要瘋了，無論被子有多厚，都覺得腳底在透風，吹得我冷颼颼，雞皮疙瘩掉滿地。

昨晚，我做出了人生中最出格、放蕩的行爲。

「天啊……」我不想活了，只想直接去跳淡水河。

下一秒，沉眠不醒的麻清栩轉過身，將他修長的手臂，隔著棉被橫放在我的胸上。

這一壓，又打消了我想爬起來，偷偷溜走的衝動。

我注視著天花板，努力讓自己冷靜下來，卻不合時宜地想到，這一切的開端，是由我忍不住親吻麻清栩開始——

時間回溯到昨天晚上十點。

我在高級公寓地下一樓待命的保全協助下，將麻清栩的車子停放在他的專屬車位，隨後拉著昏昏沉沉，走都走不穩的麻清栩搭乘電梯。

沒想到電梯一打開，又撞見了兩個熟人，是麻清栩的姊姊麻清澄與姊夫任白川。

「啊！終於回來了。」小澄姊睜大眼眸，對著麻清栩驚呼：「他酒量這麼差，怎麼又喝酒了？還麻煩小緋載他回來，眞是不好意思。」

小澄姊大我們六歲，但保養得宜、生活滋潤，從她的外表來看，跟一般大學生沒什麼兩樣，感覺比我還要年輕。

「沒關係沒關係，他喝酒就會鬧，我去帶他也好。」雖然我見到小澄姊的次數不多，但她每次都很照顧我，會溫柔地詢問我的近況、給我很多從國外買回來的小禮物。偶爾麻清栩太白爛，她還會不高興地叨念他。

「眞的是……不過老實說，有妳照顧他，我也比較放心。」在小澄姊說話的同時，一旁的任大哥已經把沉重的麻清栩接過去，並暗示我快點進來搭電梯。

「你們不是要出門嗎？」怎麼剛到地下一樓，又要上去了？

「我們就是要去接他啊。他的電話怎麼打都打不通，我就猜他是不是偷喝酒，把自己喝暈了還回不了家，所以拜託我老公載我去他們今日聚餐的地點，還沒出去，就碰到你們了。」

「原來是這樣啊。」不知道爲什麼，我在小澄姊面前，總是會有點尷尬和害羞。

「不過多虧了他喝醉，不然我有好久沒見到小翡了。妳最近過得好嗎？有沒有好好照顧身體？」

「有。工作雖然很忙，但不至於日夜顚倒，還算應付得來。」我看著電梯一層一層往上升，忍不住問：「請問，阿栩是跟你們一起住嗎？我這樣會不會打擾到你們？」

「沒有耶，我們住十三樓，他一個人住十一樓。而且，妳是爲了他才來到這裡的，說什麼打擾不打擾的話，也太見外了。」

呃，其實……不是見不見外的問題，是我在他們面前必須裝乖維持形象，演一下還好，但要是長時間……

「啊，妳明天應該要上班吧？這樣是不是不方便照顧他？」

我明天要上班沒錯，但一聽到小澄姊的詢問，便下意識往麻清栩看去。麻清栩還倒在任大哥身上呼呼大睡，而任大哥則微微側過頭，看著正在說話的小澄姊。

「都怪我一直待在家裡，沒有時間意識，才會忘了妳要上班這件事，等一下妳先回——」

「沒關係。」從任大哥看小澄姊的眼神，我知道他們一定想要有個不被打擾的私人時間，「我明天休假，剛好可以留下來照顧他。」

小澄姊露出笑容，「這樣啊，那就麻煩妳了。畢竟阿栩醒來後，知道是妳照顧他，肯定會很高興的。」

電梯到了十一樓，任大哥率先把麻清栩扛到梯廳，舉起手，滑開房門外側的電子門鎖。我跟小澄姊跟在他們身後，緩步走入屋內。

屋內的裝潢，出乎意料地與麻清栩陽光燦爛的人格特質有所差異。以灰、白兩色爲基底，搭配少到可憐的家具，整體看起來空蕩又寂寥。

小澄姊察覺到我驚愕的神色，輕聲解釋：「這間房子其實是阿栩在半年前跟我老公買下來的。原本我替他找好了室內設計師，不過他沒有重新裝潢的意願，單純請人來漆個油漆、裝上遮光簾後，就只買了客廳正中央的那張沙發。其他的，像鞋櫃、餐桌和臥室的大床那些，還是我看不下去，特地爲他買來的。」

「這樣啊……」我從未想過，原來麻清栩是過這樣的生活。

「妳嚇了一跳吧？」

被說中心事的我，尷尬地點頭。

「阿栩半年前回到國內，從建立工作室，到現在已開創了幾個手機熱門軟體，實在做了很多很多的努力。他跟我不一樣，是個能在事業上發光發熱的人，不過……我其實是知道的，他臉上雖然常常在笑，心裡卻不太快樂，彷彿在事業之外，所有的一切都是荒蕪。」小澄姊轉頭看向我，語氣還是那麼溫柔，溫柔得讓我更加愧疚，「所以我偷偷在猜，你們是不是吵架了？」

「沒……沒有吵架！是我在鬧彆扭，因為我……我不知道該怎麼面對他。」

「是因為妳沒陪他出國這件事嗎？他應該沒有怪妳吧？啊——我知道了，就是因為他沒怪妳，妳才越彆扭，是嗎？」

小澄姊大概是通靈王轉世，說什麼都準，讓人想要掩飾都難。

我點點頭。哪怕麻清栩已經親口說他原諒我，不再與我計較，我仍會感到難過和自責，「我這個樣子，是不是很怪？」

「哪裡怪？妳會有這樣的情緒，代表妳很在乎他啊，在乎到會以更苛刻的眼光來看待自己，這樣的心情，我明白的。」

我詫異地看著小澄姊，「怎麼會……」

「我跟我老公高中就在一起了，快要畢業的時候，一個要去美國，一個要去法國。我因為害怕遠距離戀愛，衝動地跟他提分手——那是我這輩子，做過最後悔的決定。接下來整整八年，我們都過得不太好，等到好不容易重逢，又有很多複雜的情感取代原本的喜悅。兜兜轉轉，我才發現原來他要的，不是我對他說任何充滿歉意的話語，而是要我別再逃避，好好陪伴在他身邊。」

「但我跟阿栩的關係，與你們不太一樣。」

「妳喜歡阿栩。」不是疑問，是肯定，小澄姊用簡單的一句話，揭開我埋在心底多年的暗戀。

她看著我，我看著她，一時間我不知道該做什麼反應，只能顫抖著嘴唇，辯解的話都說不出來。

「妳不用緊張，阿栩應該還不知道，畢竟他這個人，無論是對別人還是對自己的感情，都非常遲鈍。」

快從嘴巴蹦出來的心臟，終於因爲小澄姊的這些話，重新回到原位。

「小、小澄姊是什麼時候知道的？」

「從我第一次見到妳的時候呀！那時候，你們好像才高中？我從法國回來過年，妳跟阿栩在家裡玩，我從妳看他的眼神，就知道妳喜歡他了。」小澄姊偏過頭，狀似在回憶，「或許連妳自己都沒發覺，妳看著他就會笑。哪怕嘴角沒有上揚，眼睛卻是彎彎的，彷彿在看珍藏許久的寶貝。」

「這麼明顯嗎？」怎麼好像除了麻清栩之外的人，都發現了這件事？

「再明顯也沒用啊，阿栩就是個傻子，妳沒直接告訴他，他不會懂的。不過，過了這麼久妳都還沒告白，肯定有妳自己的理由。理由我就不逼妳說了，只希望妳不要對自己太嚴苛。」

當我想要開口說點什麼，把麻清栩扛到臥室的任大哥走出來，對著我們說：「我剛才把阿栩身上的外出服換成睡衣，身體也大概擦了一遍，他現在在睡覺，睡得很沉。」

「謝謝！」說要照顧麻清栩的人是我，可到頭來還是任大哥做完大部分的事。我有些不好意思，連手都不知道該擺在哪裡。

「謝什麼呀？阿栩是我弟弟，而他是他姊夫，擦身體和換衣服又沒什麼。是我們要謝妳，願意留下來陪阿栩，他半夜可能會口渴，再麻煩妳注意一下。」

「好，我會注意的。」

時間不早了，小澄姊與任大哥沒再拖拖拉拉，換好鞋子便準備離開。

臨走前，小澄姊突然轉過頭看著我，「小緋，感情裡沒有什麼配不配的，只有喜歡不喜歡。」

感情裡沒有什麼配不配的，只有喜歡不喜歡——這句話我聽在耳裡，惦記在心底。

在客廳的沙發上呆坐片刻，我緩緩站起身，走進麻清栩的臥房。

只見麻清栩安穩地躺在床上酣睡，半張臉從被窩裡露了出來。我靜靜地蹲坐在床沿，用手指碰觸他的臉。

從眼睛、鼻子到嘴巴，然後，內心增生了一種欲望——

我想吻他。

喜歡一個人，無論把自己的角色設定得多卑微，還是會有想得寸進尺的時候。

這不是我第一次想親他，也不會是我最後一次想親他，只要他閉上眼，我就會下意識地盯著他的唇瓣。雖然有點變態，但我暗戀他那麼久，變成這樣我也沒辦法……

「麻清栩，我喜歡你。」我靠在他耳邊，小聲地告白。

這份久違的告白，嚴格說起來並不浪漫，反而有點孬，只敢趁著他熟睡時說出口，理所當然得不到回應。

我不介意沒得到回應，我只是想拋下那些複雜且負面的念頭，好好正視自己的內心。

我彎下腰，實踐我的企圖，用嘴巴碰觸他略微乾澀的雙唇，停頓了一秒、兩秒、三秒……當我心滿意足，想滾到一旁回味這次的「偷襲」時，一隻手掌壓在了我的後腦杓上，強硬地加深這個吻。

「唔！」心跳頓時漏了一拍，我嚇得立即睜開眼睛，發現麻清栩也在看著我。

OMG，他不是在睡覺嗎！

來不及多想，麻清栩已用另一隻手將我往下一拉，翻身將我禁錮在身下。我的腦袋很不合時宜地聯想到言情小說中，霸道總裁與女主角在床上羞羞的劇情。

人生在世，總有幾個讓人措手不及的意外。

我不確定麻清栩是醒了，還是酒後亂性，可在他要脫我衣服的前一刻，他停頓了下來，努力聚焦視線，詢問我：「妳是不是……在害怕？」

或許，是我的身體不自覺地顫抖；或許，是我的眼角滲出淚水；或許，是我的嘴脣不再追尋他散播的熱氣……在歡愛的途中，我洩漏了自己的恐懼，隨即被麻清栩發現。

他靠著我的肩膀，用低啞的嗓音對我說：「不要怕。」

很簡單的安撫，很沉重的三個字，卻出乎意料地有效。

我明白他不是方仰德，如同他明白我對性愛的懼怕，無論他是醉是醒，都不願意傷害我，完全顧慮我的感受。

「我不害怕。」那個晚上如同夢魘，纏縛我十餘年的人生，如今我迫切希望跨越那道障礙，爲我喜歡的人付出所有。

麻清栩用雙手輕輕拍著我的背脊，減緩我無法抑制的焦慮。

漸漸地我不再顫抖，也不再流淚，重新回應他給予的吻。

身上的衣服一件件褪去，赤裸的肌膚烙上了新的印記，那些又紅又粉的斑點，無聲地證明，乘載我與麻清栩的那艘友誼小船，於浪潮之中，嘩啦啦地徹底翻覆。

我爲了不溺斃，只能緊緊抓著厤清栩，隨著他共渡高潮與低谷，不知過了多久，才好不容易游回岸上。

我渾身無力癱軟在床榻上，他卻尚有餘力，舔拭著我的脖子。

「厤清栩……」我被他的行爲搞得毛毛躁躁，「你屬狗嗎？」

他靠著我的肩膀，不回應我，也不讓我看他的表情，我嚴重懷疑他酒還沒醒，所以反應才會這麼遲鈍。

但從傳到我耳裡那細細碎碎的淺笑聲，我能知道他很高興，高興到攬著我不放，就這麼與我依偎著，陷入漫長的睡眠中。

原本以爲，我會做一場有關於厤清栩的夢，實際上，我因爲過度疲憊而閉上眼睛，再因不斷震動的手機吵到睜開眼睛，一夜無夢，撇除身體的酸痛，睡得非常好。

清醒過後的十五分鐘，害羞、崩潰和不知所措的情緒已消化完畢，內心僅存「死豬不怕開水燙」的想法，只能船到橋頭自然直……

「到底是誰打來的……都打了半小時了，還一直打來，也太努力不懈了吧？」要是打給我的電話，我早就接了，偏偏響的是厤清栩的手機，由我來接不太妥當。

躊躇片刻，爲了不想吵醒厤清栩，我決定點開螢幕，看是誰打給他，如果是緊急的公事，我還能趁早把他叫起來，去工作室處理問題。

可打來的不是別人，是我最不想面對的葉凱娣。

我垂頭看著手機，又看了一旁熟睡的麻清栩，突然有一種難以言喻的疲憊感。

我不後悔跟麻清栩上床，但發生這樣的關係，徹底證明我們回不到過去，再也無法用「朋友」和「友誼」來搪塞別人的猜測。

依照麻清栩的個性，絕對會在醒來後，對我說他會負責的蠢話。不過，我並不想聽他這麼說。我已經二十八歲了，上個床還要強行逼人負責，這種事情我做不出來。畢竟昨晚，他是醉的，我是醒的，他是酒後亂性，我是自願獻身，不是他單方面的問題。

還是趁麻清栩還睡得跟豬一樣，我悄悄離開，給彼此一點緩衝的時間，徹底想清楚之後再——

「誰……打的電話？」

時機之神大概跟我有仇，我上輩子到底欠了祂幾百萬，否則爲什麼在我的人生中，總是會出現這種極度尷尬的場面？

就在我準備爬下床時，麻清栩這隻睡死的豬迷茫地復活，罪魁禍首就是葉凱娣像恐怖情人一樣，瘋狂打來的電話。

他睜開眼睛，掀開被子發現自己沒穿衣服。隨後，他困惑地抬起頭望向我，嘴巴頓時錯愕地張大，結結巴巴地說了好多「妳妳妳、我我我」。

好在我還有節操，身上披了一件床單，沒有被他看到自己的裸體，不然一早就辣他的眼睛，會成爲我的罪過。

我指著床上的手機，佯裝鎭定地提議：「在說我們之前，你要不要先接個電話？」

麻清栩的靈魂完全出竅到外太空，因爲衝擊，雙眼瞪大，嘴裡呢喃：「原來不是夢……」

看他這樣，原本還有些心慌意亂、不知所措的我，莫名感到舒暢，直接壯士斷腕地說：「我知道你腦袋在想什麼。昨晚發生的一切，不是你4K高級畫質的春夢，而是實際發生的事。」

一瞬間，麻清栩花容失色，倒抽了一口氣。

「我們上床了。」眼前的情況，完美體現何爲「只要我不尷尬，尷尬的就是別人」這一大眞理。

而作爲一個睡醒才體悟所有眞相的男子漢，麻清栩給予我的回應是：「咚！」嚇得跌到床底去了。

與深交十多年的好朋友上床這件事，似乎是結束了，又好像還沒有結束。

我回到簡陋的公寓，拖著疲憊的身軀，跌躺在睡了很多年的床榻上，並跟公司排了一天假。

俗話說得好，由奢入簡難，我明明只在麻清栩的席夢思上睡了一晚，竟然開始不適應房東給的破爛床，無論喬什麼角度，都感覺很彆扭不舒服。

「……真是個傻蛋。」我忍不住回想稍早麻清栩驚慌失措和語無倫次的模樣，心裡感到好笑又無奈。

過去我對「早起的鳥兒有蟲吃」這句話感到嗤之以鼻，認爲分明是「早起的鳥兒做更多」，人只要一醒來，就會有滿滿的事情要做。

但經過這件事，我深刻感受到早起的好處，至少我還有一小段時間能排解慌張，而不像麻清栩那樣，被迫演小丑。

安靜地躺了一會，渴望從中體會到我遲來的歲月靜好，可惜門鈴很煞風景地響起，我爬起來，認分地問：「誰？」

作爲一個社會邊緣人，我的朋友不多，親人只剩我媽一個，所以會來按門鈴的，除了房東，應該沒有其他人了。

「是我。」

好的，麻清栩總是能靠自己的實力，突破我所有的認知。

他不是應該要……對我避而不見嗎？怎麼在這麼短的時間內，又出現在我面前？

「你剛把我送回家，爲什麼又來了？」我努力在他面前保持游刃有餘的態度，但我喜歡他那麼多年，發生關係後，我也還沒想好該怎麼面對他。

麻清栩看似調整好心態，舉起一個塑膠袋，「我想妳應該還沒吃早餐，就幫妳買了一份過來。這是妳喜歡吃的蔥油餅加蛋。」

「一大早，你去哪裡買蔥油餅加蛋？」

「妳問什麼傻話？當然是早餐店買的啊，我好歹在這附近讀了四年的書，比妳這個宅女還要熟悉哪裡有東西吃，好嗎？」

接過散著熱氣的早餐，我的心情非常複雜，卻還是下意識地關心：「那你吃了嗎？」

「還沒。今天工作室有個會議要開，我遲到太久了，在車上吃就好。」

「哦……那你路上小心，我要進去吃——」

「可耕。」

我停下要關門的動作，有點尷尬地問：「幹麼？」

「妳今天應該不會去上班吧？」

「不會，我會在家休息。」

麻清栩皺眉，「如果妳身體有哪裡不舒服，記得打電話給我，我會來看妳。不，不對，就算妳沒有不舒服，等我處理好公事，我會再來一趟。」

「你來做什麼？我沒有不舒服，我沒去上班是因爲我休假，跟你沒關係。」我微微咬著下脣，躊躇片刻後，選擇與麻清栩對視，「昨天晚上發生的事情，我不介意，我希望你也別介意。」

「我怎麼可能不介意？我對妳做了那麼過分的行為，妳可以罵我，哪怕妳現在要求我跪在這邊祈求妳的原諒，我都做得到！」

我覺得，我們的頻率就目前為止，還沒搭在同一個水平線上。

「麻清栩，我先跟你要求兩件事。第一，請你不要再看古早味的狗血倫理劇，我怎麼可能要你下跪來請求我的原諒？神經病啊你！第二，立刻給我去上班！不要待在這裡占空間。」

說完，我伸手輕推了他一把，趁他倒退一步，立即要關上鐵門。

「喂！妳怎麼這麼兇啊？」他隔著門板假意哀號，「我差點被妳推倒了。」

「那你怎麼不跌個狗吃屎給我看？我又不是第一次兇你，你早該習慣了好嗎？幹麼大驚小怪。」我刻意用輕快的聲音回應，不想讓彼此的氣氛變得更尷尬，擔心繼續跟他抬槓，會浪費他更多時間，於是再次下達逐客令：「你不是要工作嗎？快滾啦！」

麻清栩被我氣笑，「妳眞的很過分耶！還沒說幾句話就要我滾。算了，我不跟妳計較，但妳身體要是有哪裡不舒服，一定要打電話給我，我會過來照顧妳的。」

「哈，你確定你是過來照顧我，而不是來謀殺我？你根本就不會做家事好嗎，來這裡只會添亂。」

「妳就不能──」

「那個……不好意思啊，可以麻煩你們不要一大早就打情罵俏嗎？」麻清栩飽含憤怒與不爽的回擊，被身後突然出現的房東先生打斷：「我知道年輕人一談戀愛就難分難捨，可是你們這樣十八相送，我們這些老夫老妻看得很眼紅啊。」

就在這瞬間，我與麻清栩終於有了共鳴，那就是──怎麼辦，這場面好尷尬啊啊啊啊啊啊！

「對不起，我們太吵了！我、我馬上離開！」尷尬，是人類奔走的最強原動力。麻清栩匆匆看了我一眼，隨即以十分矯健的身姿衝下樓，趕往工作室上班。

而我與房東先生則留在原地乾瞪眼。

「嗯……如果沒有什麼事的話，我先進去吃早餐了。」雖然我在這住了將近十年，但我跟房東先生說話的次數不超過十次，所以這麼面對面地對望，很考驗我的羞恥心。

「他是妳男朋友啊？」八卦，是人類抵抗壓力的最佳調劑。就算房東先生的生活應該沒什麼壓力，他還是對我的感情世界很感興趣。

「我要是說不是，你信嗎？」

「妳當我傻啊？我當然不信！你們說話的方式跟小情侶沒兩樣，很般配。不過我倒是沒想到妳也會談戀愛，在這之前，好像沒看過妳帶男生回來，我老婆很擔心妳找不到對象，還想幫妳安排相親呢。」

「不不不，不用相親，謝謝。」光是聽到「相親」這兩個字，我就會耳朵過敏。實在很想仰天長嘯，請這世上的中年婦女們，放所有未婚子女一條生路，不要每天都清倉似的亂配姻緣。

「好啦，我知道我知道，都看到妳有男朋友了，怎麼可能再幫妳安排相親？我老婆那兒，我會去說的。」

要不是怕嚇到房東先生，我都想原地表演「謝主隆恩」，感恩吾皇的聖恩浩蕩。

「剛好趁這個機會，我還有一件事要跟妳說。」

第六感告訴我，房東先生此時此刻絕對不是帶來好消息，而是有某些事，必須與我商議。

「是這樣子的，妳也住在這裡很長一段時間了，知道這公寓的屋齡差不多四十年了吧？空間雖然大，不過一直有管線阻塞和屋頂漏水的毛病。前一陣子每天下大雨，五樓的黃小姐跟我說她的家具都被漏水淋溼了，要我們賠償。賠錢事小，但根本問題必須解決。所以我是想問問妳，可不可以在月底前搬出去？我準備把公寓重新翻修，包含漏水、阻塞和其他的疑難雜症一併處理。」

「這麼突然？」距離月底剩下不到幾天，我怎麼可能順利搬出去？

「我知道很臨時，本來也擔心妳會沒有地方住，可是既然妳有男朋友，翻修的時候，妳可以去男朋友那裡住，增進彼此的感情。」

「我、我們還沒有到同居的階段……」我原本是想解釋麻清栩不是我的男朋友，但沉浸在自己小宇宙、私自腦補劇情的房東先生，是不會相信我的解釋的。

房東先生對著我哀嘆：「方小姐啊，妳的年紀都要邁向三字頭了，不再是小女孩了，遇到這個還不錯的對象，必須好好把握，抓穩對方的心才不會讓別人有機可趁。同居哪有什麼階段之分？恩恩愛愛住在一起，能提早試婚啊，多好！」

「我……我可以考慮一下嗎？」要我在這麼短的時間內搬出去，有點強人所難，「至少也要讓我跟我朋——男朋友說一聲，討論是否該同居，還是我找其他地方住。」

「是啊，的確需要討論，不過要麻煩妳盡快給我答覆，讓我可以提早動工，不好意思啦！」

話說到這裡，只要不是傻子，都知道房東先生很想我快點滾蛋，減少他的困擾。

「好，這禮拜五我會給你答覆。」

✿

搬家和找房子，絕對是所有人類遇過最煩的事情，沒有之一。

與房東先生深切「討論」過後，我來不及休息，一邊吃著蔥油餅，一邊打開電腦找合適的租屋。

誠如麻清栩所說，我雖然在這裡住了快十年，但身爲宅女的我，對於周遭的一切都非常不熟悉。而且，平時工作那麼忙，朝九晚十，回家早就累趴了，根本沒時間、沒體力約房仲看房。

「呼，眞是的……好煩啊！」在我唉聲嘆氣後，手機鈴聲隨即響起。

一看到是張芝安的來電，就想裝死，偏偏張芝安像是喝到葉凱娣的口水，犯了「要是不接電話，我就打一百次」的毛病。

我無奈地接通了電話，「幹麼？我在休——」

「方可緋！我有一件超級重大的消息要告訴妳！」休假的「假」字還沒說出口，就被嗓門很大的張芝安打斷。

我在心裡嘆了一口氣，問：「妳有什麼消息要告訴我？」

「之前我們不是有從阿春姐那裡得知董事會要改選？」

「嗯，然後呢？」

「然後上個星期，他們高層默默改選，老闆換別人當，到今天才公布人事消息。」

「那跟我們又有什麼關係？」我們只是普通的工程師，換幾個老闆影響不了我們吧？

「當然有關係啊！妳忘啦，我們這些單身工程師，是外派的首選，可能再過不久，上層會分別找我們談話，『建議』我們申請外調。」

這世界上，錦上添花的幸運少得可憐，多的是屋漏偏逢連夜雨。

我「嘖」了一聲，覺得除了搬家之外，現在還多了一道名爲「換工作」的難題。

「妳怎麼看？要接受外調嗎？」

「我不想啊，外調到東南亞國家，補貼只有一點點，還得學當地的語言，免得工人在背後罵自己都不知道。」

張芝安說的是我們圈內很有名的諷刺笑話，也是公司前輩的親身經驗。

大約在五年前，前輩出差到V國視察當地工廠製作的晶片，由工廠的副廠長負責接待他，安排食衣住行各種瑣事。當時的前輩，還是懵懂無知的善良青年，全然接納了副廠長給予的「善意」，兩人合作得非常愉快。

直到前輩回到國內，爲了下一次去V國的出差，請了家教老師教V國的語言課程後，他才在老師的嚴厲指正下，後知後覺地發現，他待在V國的那一個月，副廠長每天跟他用V語打招呼的眞實內容，翻譯成中文白話，就是：「幹拎娘機掰。」

非常粗俗的髒話，髒到前輩都不好意思問副廠長爲什麼要這麼說。

「妳呢？我記得妳好像也沒什麼興趣。」張芝安問。

「我沒有興趣啊，去國外有什麼好的？我一個人賺那麼多錢幹麼？還不如留在國內陪陪我媽。」

不過公司既然傳出這樣的風聲，推測主管們很快就會約談底下的工程師。果不其然，隔天我去上班，就看到很多同事面露難色，恐怕是擔憂工作內容會因為這次的「改朝換代」有巨大變動。

「可緋，妳昨天說妳身體不舒服，今天還好嗎？」我一坐下，還沒打開電腦，主管老宋就趕過來關心。

老宋人很好，不是一個會壓榨下屬、便宜自己的主管。他工作認眞嚴謹卻不失幽默感，與他共事非常愉快，這也是我為什麼有那麼多公司好跳槽，仍願意繼續待下去的原因之一。

「有！抱歉，我昨天早上突然頭暈，實在沒辦法上班才會臨時請假。耽誤到的工作，我會盡快補上。」

「我一直都很放心妳在工作上的效率與表現，放輕鬆，不需要把自己逼得太緊。另外，我有一件事想先跟妳談一談，方便嗎？」

聽到後面的那幾句話，我心神一凜，臉上強撐著笑容，「當然方便。」

「詳細內容我們到隔壁的小會議室說吧。」

於是我在張芝安憂慮的眼神注視下，與老宋一起到小會議室進行談話。

老宋毫不拖泥帶水，開門見山地說：「妳昨天雖然沒有進公司，我相信也知道了公司近日的人事異動。簡單來講，公司的大老闆換人當，很多既有工作方針會更動，與工程師最相關的是外派問題。比起有家眷的工程師，公司更傾向讓年輕的後輩外派，一是增長資歷，二是避免家庭糾紛牽連到公司。所以，妳和張芝安是我首要遊說的對象。」

我很感謝老宋如此坦誠，至少彼此不需要諜對諜。我直接回答：「請問選擇外派，會有什麼樣的獎勵與補助嗎？」

「妳現在的本薪加上加班費用，推估落在六萬五左右。如果妳願意外派到東南亞的工廠當常駐，年薪應該可以調高到現在的一點五倍，有薪假也會是現在的兩倍。每年撇除公事的往返，妳可以因私人理由申請三次機票全額補助，其他包含配股、紅利和包吃包住，我就不多說了。只要妳願意出國，公司會馬上幫妳安排調職，我能向妳保證，妳調職的目的地雖然是東南亞，但生活機能上一定會有足夠的水準，不會讓妳覺得很落後，生活上感到不方便。」

「聽起來好像還不錯……」

「是很不錯。可self，這的確是我能爲妳們爭取的最大福利了，其他公司的外派薪水絕對沒有我們補助高。趁著這次臨時異動，我相信妳選擇外派不會吃虧，反而還能多賺幾筆。」

「請問，如果我不外派呢？我還能繼續保有現在的工作嗎？」

老宋皺眉，沉默片刻，依舊選擇對我推心置腹：「老實說，我不能保證妳是否能保有現在的工作。老闆心，海底針，就算妳工作能力多麼傑出，高層是希望妳外派，妳非要留在國內，等同是和他們作對。無論如何，與高層產生矛盾，百害無一利，可能過不久，妳會被其他後輩取代。」

我深吸一口氣，強迫自己冷靜，接著對老宋說出與房東先生講的那些類似的話：「我知道了，可以給我思考幾天嗎？會盡快給你答覆。」

而老宋同樣隔空複製房東先生的台詞：「是啊，外派不是一件小事，需要深思熟慮才行。不過，我希望妳能盡快給我答覆，我才能趁早爲妳爭取更多福利。」

「我知道了，這週五會再回覆我的決定，謝謝。」

第七章　溫柔的評價

在這個禮拜五之前，我不知道要做多少個決定。

搬家和外派所衍生的大小事，全部堆積在腦海裡。

如果我選擇接受公司的外派命令，那搬家的問題似乎就解決了，只要帶一些東西出國，再把剩下的行李寄回老家，就無須再找另一間套房。但……無論老宋講得多麼天花亂墜，我還是不想遠赴他鄉當什麼常駐工程師。

光是來北部讀書和上班，我就有很多的不適應，初期更是水土不服，要是選擇了外派，肯定會非常非常非常受折磨。

「呼，該怎麼辦呢……」沉思與焦慮之際，手機突然響起。原先猜想是電信扣款的通知，沒想到是早已被我遺忘在世界角落的鍾子鳴，發送一長串的簡訊給我。

「學妹，我是鍾子鳴。之前我們在聯誼上見過面，相談甚歡，我對妳的印象很好。這段期間我陸陸續續傳LINE給妳，妳好像都沒有看。我想，是不是妳不小心將我封鎖了？因為我想要行使第二項要求，便直接傳簡訊給妳，免得妳沒收到。我的第二項要求是，明天傍晚，可不可以跟我一起去T大的實驗劇場，看戲劇系的年度公演？」

「不好意思，你是不是傳錯人了？我跟你沒有相談甚歡過。」對於鍾子鳴刷存在感且顚倒是非的行爲，我感到鄙夷。

「學妹眞的很無情呢。妳忘了啊，如果妳沒有答應我的要求，那我就無法保守祕密了。」

「我沒有不答應。」我鼻孔一邊噴著氣，手指一邊打著違心的言論：「幾點？另外，看公演需要先買票嗎？」

T大畢業後，我就不曾觀看戲劇系的演出。印象中，戲劇系的年度公演可謂一票難求，熱門的程度堪稱是校園版的百老匯。

「放心，我有學弟的贈票，明天六點在T大的實驗劇場見。另外，可以請妳解除我的封鎖嗎？」

如果是當面問我，我絕對不會承認在聯誼結束的當天，我立即在各個通訊軟體上封鎖鍾子鳴。不想與他有過多牽扯，偏偏他死死黏上來。

可惜人在屋簷下，不得不低頭，我解除封鎖後，傳了一個「你好」的貼圖。貼圖瞬間已讀，鍾子鳴回：「終於願意放我出冷宮啦？」

「呵呵。」我又不是皇帝，什麼冷宮不冷宮的……

「妳好像沒有想要辯解的意思？」

「封鎖你是事實，有什麼好辯解的？」

對方停頓了幾分鐘，又傳了訊息給我：「學妹，妳怎麼這麼坦誠啊？總覺得妳眞的很不喜歡我？」

「鍾先生，我覺得有點奇怪，你爲什麼會認爲我會喜歡你？撇除你的顏值，目前爲止你的所作所爲，根本沒有地方吸引我。你無禮、自戀，還喜歡強人所難，利用威脅的方式來達成你要的目的，這些是不對的，顯得你完全不會與女生相處。」

雖然爲了請他保守祕密，我會聽從他的三個要求，但他既然丟球給我殺，我也不會手下留情，絕對會把他罵得懷疑人生。

「所以妳是眞的很討厭我嗎？」

「你又誤解了，我不是討厭你這個人，我是討厭你處事的方式。人需要有自知之明，既然你都知道我把你封鎖了，代表我不想與你接觸，可是你完全沒有想尊重我的意思。」搶在他回應之前，我接著傳：「但我已經答應你一起去看公演，明天晚上六點我就會準時出席，希望你也不要遲到，謝謝。」

發洩完爆走的情緒後，我趴在桌上，重重呼出一大口氣。說實話，我明白鍾子鳴沒什麼惡意，就是輕浮了點，喜歡開一些不痛不癢的小玩笑，偏偏最近發生太多鳥事，我的壓力過大、燃點過低，很容易引發怒火。

「叮咚。」

我以為又是鍾子鳴回傳的訊息，可打開手機，映入眼簾的是麻清栩傳來的一行字：「可以聊聊嗎？」

作為一個在科技產業工作N年的新貴派，我第一次質疑科技的便捷。很想問問設計通信軟體的工程師，為什麼要設置「已讀」的存在？這樣一點開來，麻清栩就知道我看過，如果不回應，代表我想龜縮，不願意面對眼前的問題——這不是我的處事風格，更不現實，「粉飾太平」已經不適合套用在我們這對「好朋友」身上。

「要談什麼？」思考了一會，決定正面迎戰麻清栩丟的直球，然而一看到他已讀我的訊息，瞬間又孬了，補傳：「我們應該沒什麼好談的。」

「嗯，很顯然，那是妳認為的。」

我翻了一個白眼，在心裡比凸。

「妳這兩天身體還好嗎？有沒有哪裡不舒服？」

「我身體好得很，你根本不必擔心。」

「那有沒有好好吃東西？」

「麻清栩！請問你是我媽嗎？幹麼一下關心我的身體，一下又問我有沒有吃東西？我人好到不行，不要再做這種無謂的舉動，會讓我很彆扭！」

理智上我很清楚不該對麻清栩像鬥雞一樣，他說什麼我嗆什麼，應該要仿效有諸多歷練的大姊姊，以優雅淡然的態度，把那天意外發生的全壘打隨意帶過。我這種反應，根本是欲蓋彌彰，不斷反映出「我很糾結」的心理狀態。

越糾結，他越想關心。

就算再怎麼口是心非，追根究柢，我仍然想要他能跟我說說話、問我好不好，對我表露出本來不該對我展現的溫柔……

「我會對妳這麼做，是因爲我對妳有好感。」

當我再度點開螢幕，這句話讓我的心臟似乎瞬間停止跳動。

但下一秒，我立刻體會到什麼是天堂掉入地獄的滋味。因爲定睛一看，我發現那不是麻清栩傳的，而是鍾子鳴那隻自大的豬。

「我這麼做，妳是不是覺得我很幼稚？」

我想幼稚不足以形容鍾子鳴。正想切掉螢幕，他又傳來訊息。

「不管怎麼說，妳願意跟我一起去看公演眞是太好了。」

記得很久以前，大約是國三，我聽過一句歌詞——「曖昧讓人受盡委屈」。那時候，我剛意識到自己喜歡上最好的哥們兒麻清栩，茫然地不知道該怎麼走下一步，怕一不小心洩漏了內心的小祕密。伴隨略微憂傷的旋律，我呆坐在公園，哭得淚流滿面。

現在回想起來，實在是有點矯情。但不可否認的是，麻清栩這三個字，承載了我的喜歡、暗戀和所有美好的記憶。

他是我刻骨銘心的青春，烙印在我靈魂的深處。

躊躇片刻，爲了不想再徒增鍾子鳴的想像，我選擇果決回覆：「謝謝你對我有好感。不過在去看公演之前，我還是跟你說清楚比較好。我，已經有喜歡的人了，明天之所以會出席，單純是我不想要違背之前對你的承諾。」

我以爲依照鍾子鳴的個性，會再與我糾纏不清，瞎扯一些亂七八糟的話。可出乎意料的是，他只回傳：「方可緋，妳眞的是很溫柔的人呢。」

❀

曖昧讓人受盡委屈，找不到相愛的證據。

（〈曖昧〉詞：姜憶萱／顏璽軒，曲：小冷）

少女的暗戀，又純又烈，明知是曖昧，卻奢望找到相愛的證據，到最後把自己撞得頭破血流，才在淚水的洗滌下，癒合了傷口。

「方可緋，妳在哭什麼啊？是不是我讓妳等太久了？但也不至於哭成這樣吧？」

國三晚自習結束，麻清栩都會以「想放鬆心情」爲由，拉著我到學校附近的公園，與一群國高中生打籃球。

我不會打籃球，又捨不得先回家，只能抱著他的外套和背包，傻傻地坐在一旁等他。或許是我表現得實在太傻，到後來他會借我MP3和耳機，讓我聽音樂打發時間。

麻清栩雖然是個粗獷陽光的大男孩，喜歡聽的歌卻都是愁苦又憂傷的情歌。

「沒、沒有啦。」我吸著鼻子，回過神便匆匆抹掉臉頰的淚痕，解釋：「我……太融入情歌帶來的情緒了，忍不住哭了出來。」

「妳是笨蛋嗎？聽歌而已，還能哭成這樣。」他一邊笑，一邊阻止我的雙手亂抹，「喂！妳不要這麼粗魯！我來幫妳啦。」

「幫什麼？」詢問的同時，麻清栩已從口袋掏出手帕，溫柔細膩地擦拭我的雙頰——世間的萬物，彷彿在剎那間停擺，我瞪大雙眸，對他突如其來的舉動感到很震驚，下意識地脫口而出：「你、你做什麼呀？」

「什麼我做什麼？幫妳擦臉啊？妳這麼驚訝幹麼？」

「我自己會擦！」

「我當然知道妳會擦臉，但妳很粗魯啊！把自己擦得跟小花貓似的，不會痛啊？」臉一擦完，麻清栩便收回手帕，比我還要困惑地看著我，「妳好奇怪哦，有必要反應這麼大嗎？」

「我只是被你嚇了一跳……」

「我才被妳嚇了一跳！」麻清栩這個人，到哪裡都自帶光源，他是那種給點陽光便獨自燦爛的萬人迷。不過，他一直沒有交女朋友，或許是因爲他的思維實在太過直男，哪怕做了任何曖昧的舉動，都會被他歸類在普通朋友的互動上。

「時間也不早了，妳還傻傻坐著幹麼？快點起來，我送妳回家。」

「我不需要你送。」雖然我們的家是同個方向，但會先到他家，再走一段路才會到我家。想到他每次都要折返，我就很不好意思。

「喂，這件事我們不是說好了嗎？妳等我打完球，我再送妳回家，怎麼可以出爾反爾啊？」他伸出手，把我拉起來，再把我們的書包斜背在肩上。

「我不是出爾反爾，而是——書包還我啦，你不用替我背！」我想把書包搶回來，卻被他閃過。

他逗我逗得很開心，臉上充滿愉悅的笑容，「好了好了，妳不要浪費力氣了。妳這麼矮，怎麼可能搶得過我？」

「不是我矮！是你太高了！」有時候我會懷疑麻清栩到底是吃了什麼，怎麼長這麼高？都要一百八十公分了吧。

「好好好，妳說得算。」麻清栩依舊沒有想把書包還我的意思，輕輕攬過我的肩膀，「我們可以回家了吧？再鬧下去都要超過十點了。」

「你……」感受到他說話的熱氣在我耳邊吹拂，讓我瞬間當機，說不出什麼拒絕的話。抑或是，我根本不想拒絕，貪婪地以朋友的名義，沉溺在他給予的肢體接觸。

我把這個姿勢當成是擁抱，私自賦予它超過友情的意義。

「欸，方可翡。」每樣東西都有保存期限，他對我的碰觸停止於我們在十字路口等待紅綠燈。

「嗯？」

「那個……方仰德最近是不是要被判刑了？」沒想到麻清栩會突然問我這個問題，使我短暫愣了一秒，才點頭。他接著問：「妳的律師有說什麼嗎？就是他大概會被判多少年？會被罰多少錢之類的。」

距離那恐怖的夜晚已過了半年，國三的生活充實又忙碌，我不想因為一個爛人，停止往前邁進的步伐。

在這之前，我沒想過可以擺脫掉這個人，家裡不再埋著一顆不定時炸彈，夜裡也不會再有人撬開房間的窗戶。

我能安安穩穩地睡一覺，不需要再過以前那種明明很累，卻無法安歇的生活。

「唔，律師說單論性侵，他至少會有五到十年的刑期。一般的性侵未遂，差不多是三到四年，不過我是未成年，他又是我血緣上的父親，所以他的行為很難得到法官的諒解與認同，應不會採取輕量原則。還有他對我施暴的部分，也會加重他的處罰。」行人號誌綠燈，我與麻清栩並肩行走，走到一半我又說：「麻清栩，謝謝你哦。」

「謝我什麼？我根本沒做任何事。」

「才怪，你明明就幫了我很多忙，連律師也是你拜託你媽媽幫我找的。」目前替我打官司的葉律師，與我有相似的成長經歷，她完全理解我的痛苦，以及對施暴者強烈複雜的情緒。

「遇到這種垃圾事，正常人都會想幫妳吧？」

走過馬路，我回憶起過去的種種遭遇，「大家都說清官難斷家務事嘛，所以別人的家務事，大多數的人爲了避免麻煩，都會假裝不知道和沒看到，還會說服自己，即使出手了，也幫不了什麼……」

被害者只能一直受傷，還要遭受其他人的異樣眼光。

「不過！我想上天是公平的，少了那些袖手旁觀的路人，多了你和你媽在我昏暗的人生中，點了一盞明燈。」我轉過頭，對著一臉擔憂的麻清栩露出笑容。

過去半年，我最大的收穫，是變成麻清栩的好朋友。縱使我很清楚，自己太過貪心，漸漸變得不只是想當他的好朋友，可只要他不放棄我的一天，我都會盡最大的力氣，守護我們的友誼。

「妳也太誇張了，什麼明不明燈，以爲是在安太歲啊？妳是我的哥們兒，我不幫妳幫誰啊？放心好了，之後我也會幫妳——不對，是我們互相幫忙呀！妳的作業借我抄，我幫妳處理那些欺負妳的混蛋！」不得不說，麻清栩眞的很有破壞氣氛的才能。

「現在沒有人會欺負我。」而且抄作業是什麼鬼？他的成績明明比我還要好啊。

「也對，現在就只有妳能欺負我。」

「喂！不要亂說話！」我揮舞拳頭，砸在他的左手臂上，他痛不痛我不知道，但他的肌肉太硬了，我砸他，自己的手還有點疼。

「我哪有亂說話？妳明明就在欺負我！」

「欺負個屁！」

「妳看，妳又打我了……哈哈哈……不要搔我癢……好啦好啦，我不鬧妳了……」

打鬧的歡笑聲迴盪在靜謐的巷弄中。

路燈把我們的影子照得很長，偶爾交疊、偶爾分離，就像是在暗示我們若即若離的緣分。

當時的我，以爲自己永遠都不會把喜歡說出口，除了自卑和焦慮使然，還有就是，我知道麻清栩是一個很溫柔的人。

他會顧慮我的感受，哪怕對我沒有友誼之外的情感，依然會選擇接受我的喜歡，與我成爲一對貌合神離的情侶。

我再怎麼自私，也不能綁架麻清栩的未來，那樣不對，更不公平。

可我萬萬沒想到，有一天，我會從別人的身上得到「溫柔」的評價。

其實我一點都不溫柔。

無論是選擇退讓，還是沉默守護，我這麼做的動機，跟我寫的那恐怖童話的少女一樣——她付出生命，不是爲了讓王子與公主有情人終成眷屬，而是希望王子能因爲她獻上的一顆心，永遠記得她。我想要的是永遠。

什麼樣的身分對我來說都無所謂，我只希望一輩子陪伴著麻清栩。

「你這麼早就到了啊？」

由於答應鍾子鳴一起看戲，所以我提早下班，回家換了一套衣服，前往T大的校園。抵達公演劇場是下午五點半，離約定好的時間還有半小時。

結果鍾子鳴已經站在樹蔭下，拿著兩杯拿鐵在等我。

鍾子鳴一看見我，立即笑著解釋：「下午我受以前教授的邀請，回來演講了兩個多小時。結束後，我擔心妳早到，於是買了咖啡就來這邊等了，總不能將妳不情不願地拉來，還讓妳枯等吧？」

「哦，你這麼說也是。」我接過咖啡，感受到原本溫熱的咖啡失去既有的溫度，也不知道他在這裡等了多久，「你下次可以提早傳訊息給我，說你在咖啡廳或哪個室內等，不用傻傻地站在這裡當電線桿。」

「下次？原來我還有下一次的機會。我就是怕傳訊息會讓妳有壓力，所以不敢打擾妳。」

不知道怎麼回事，我有種拿石頭砸自己腳的感覺，「我只是不希望你大費周章，萬一你在這裡吹風吹到感冒，賴在我身上怎麼辦？」

「我可不敢把事情賴在妳身上，萬一妳對我發脾氣，說我很討厭，那可得不償失。」

我翻了一個白眼，迅速轉移話題：「公演什麼時候開始？應該可以進場了吧？」

「嗯，可以進場了。」說著，鍾子鳴請我拿他的咖啡，再從身後的背包拿出公演的宣傳手冊與入場券。

我這個人有個毛病，就是拿到廣告文宣就會忍不住把它讀完，在我們入座後，我便垂著頭看鍾子鳴遞給我的手冊。

此次公演的劇名叫《陳老師殺了誰？》，顯然是懸疑風格的劇情，手冊內頁還有好幾個重要角色的介紹。

陳老師原是T大法律系的副教授，有個十六歲的女兒筱婷。有一天，筱婷上完補習班獨自回家的途中，被人拖到巷弄裡侵犯。隔天清晨，陳老師才找到倒在巷弄中，昏迷不醒的筱婷。

清醒過來的筱婷，因自身的遭遇崩潰，而她被強暴的事在學校裡傳開，她身爲受害者，卻不斷遭受各種冷眼與批評——如果不是她那麼晚回家，會遇到這種事情嗎？如果不是她裙子穿那麼短，會被人覬覦嗎？如果不是她非要走那條小路，怎麼會讓人找到機會下手？

筱婷拒絕上課，每天把自己關在昏暗的房間裡。

陳老師爲了照顧女兒，忍痛向T大遞出辭呈，並帶著憔悴不堪的筱婷回到鄉下，試圖讓她遺忘那些黑暗的記憶。

「我們會在一個全新的地方，過著更好的生活。」

舞台上，陳老師與筱婷並肩坐在巴士的座椅，車子搖搖晃晃，她們的身姿也隨著搖晃而擺動。

筱婷抬起頭，看著身邊的母親，蠕動著雙脣，卻沒有說出一個字。

「柳橋到了，下一站夏壩。請到站的旅客依序下車，謝謝您的合作。」

聞言，陳老師拉著筱婷起身，走出巴士後，筱婷突然說：「媽！」

「嗯？」

「我們……眞的能夠，過上更好的……生活嗎？」她們站在人行道，任風吹過髮絲，撫過雙頰。筱婷纖細的身軀彷彿一碰就會碎。

「當然。」陳老師以既肯定又簡短的詞彙，回答筱婷的問題。

然而畫面所呈現的，卻是兩人在離開人行道時，分別朝兩側走去。

筱婷並未走遠，而是往上爬，爬到一座廢棄建築物的天台，用她空洞的眼神往下俯視。

陳老師卻輾轉到了很多地方，她在找工作、找房子、找學校，還要找那個強暴女兒的人渣。

陳老師一直在忙，畫面一直在轉，唯獨筱婷依舊蹲在天台上，偶爾會轉過頭，看向不遠處的母親。

「媽媽。」突然，筱婷喊了陳老師一聲。

第一次陳老師沒聽見，於是筱婷喊了第二次：「媽媽。」

「怎麼了？」陳老師聽見了，她也扭過頭，平靜地與筱婷對視。

「我們的生活……真的，有變好嗎？」

「當然，一切都在變好。」

聽著陳老師的回答，筱婷垂下頭，不再與她交談。

「筱婷，妳蹲在那裡做什麼？下來啊，那裡太危險了，快點下來。」筱婷蹲在天台很久了，直到現在陳老師才要求她離開那裡，「妳不能每天把自己封閉起來，必須要開闊、堅強——」

「媽媽，我想回家。我們……什麼時候才能回家？」

燈光伴隨著這句話逐漸轉暗，劇場迴盪著陳老師的喘息聲，依稀還能聽見某人的啜泣。

當燈光再度點亮，筱婷已倒在血泊之中，無聲無息，大概是死了。

陳老師蹲在筱婷的身邊，望著女兒的屍體，想要伸手碰觸，又在碰到的前一刻縮回來。她輕輕地哼歌，旋律是一首著名的安眠曲。

曲畢，陳老師表情木然地對觀眾說著：「走吧，走吧……」她緩緩站起身，與前來勘查現場的警察前往警局做筆錄。

警局裡的刑警們正焦頭爛額。

說是前陣子，有好幾個青年接連在沒有攝影機的巷弄中慘遭殺害，受害者的家屬遲遲等不到偵破，跑到局裡大吵大鬧。

「你們沒有證據。」沉默了很久，陳老師說出這句輕飄飄的話。

家屬們瞪大雙眼，表情怒不可遏，「什麼證據？我兒子都死了，還要什麼證據？」

陳老師閉起雙眼，表情波瀾不驚，「我好像，也曾經說過一樣的話——我女兒都躺在那兒了，還需要什麼證據？」

低沉的伴奏突然變成路人的質疑聲——

「爲什麼這麼晚還讓孩子獨自回家？」

「爲什麼做家長的不能夠仔細一點？」

「妳在學校為人師表，但在家裡能當一個好媽媽嗎？」

「妳以為換了一個地方，她身上的汙點就能被洗刷乾淨？」

為什麼、為什麼、為什麼……妳、妳、妳、妳……

「媽媽，我想要回家，回到有妳的家。沒有其他人，連我……也不在那兒。」

陳老師睜開眼睛，看向一旁的警員。

「我要自首。」她的聲音乾啞，像是生鏽仍不斷磨合的齒輪。

「什麼？」

「是我，殺了他們。」

晚上九點，戲劇系的年度公演謝幕，我與鍾子鳴緩緩走出劇場。公演的劇情陰暗，我看完心情有點沉重。

「學長！你跟女朋友要回去啦？這次真的很謝謝你！願意當我們的顧問，還特地排開時間來看我們的表演。」

途中，鍾子鳴被一個短髮的學妹認出，熱情地向他道謝，還誤認我跟他是男女朋友的關係……不，說實話我們連朋友都稱不上。

「她不是我的女朋友。」

沒想到鍾子鳴會不顧面子地澄清。

學妹尷尬地眨眼，正要開口緩頰的時候，他又說：「她是我喜歡的人，我正在追她。所以，是我要謝謝你們，給我們帶來這麼精彩的表演，這樣我也能夠和她炫耀，我是你們這一屆的戲劇顧問。」

得到稱讚的學妹非常高興，笑咪咪地對我保證：「這位漂亮的姊姊，謝謝妳今天和學長一起來，他人非常非常非常好，很適合當男朋友。如果妳對他有好感的話，就不要再猶豫了。」

被稱為「漂亮姊姊」的我，實在有口難言，連想澄清我們眞的是普通到無法再普通的關係都做不到，只能抿起雙脣，露出充滿職業性的微笑，內心則不斷祈禱這妹子快點離開，我不想損毀我作為漂亮姊姊的形象。

好險學妹是個大忙人，說了幾句話就被其他同學喊走，結束了這尷尬的配對劇場。

「走吧，我送妳回家。」今晚的鍾子鳴不知是吃錯什麼藥，非常會看臉色。大概知道我有點彆扭，沒有延續剛才的話題，平淡地問：「今天，妳還喜歡嗎？」

「什麼？」我現在對喜歡這個詞彙非常敏感，下意識地回：「我不喜歡你啊。」

鍾子鳴頓時「噗哧」笑出聲，隨後遮著嘴巴，「我知道妳不喜歡我，但妳也不用一直說呀，這樣我會很受傷呢。」

「這怎麼可以怪我……不是你刻意挑起來的嗎？我只是回答我眞實的想法。」以各種條件來看，鍾子鳴的確是不差的交往對象。雖然他一開始有點白目煩人，但當我強勢地表達心意後，他就沒再做任何令人反感的行爲，可謂孺子可教也。

「我是問妳喜不喜歡這次公演的劇情！」

「拜託，你沒有前言後語，連主詞都省略了，我怎麼知道你問我喜歡的意思？」無論說什麼，鍾子鳴給我的反應就是一直笑，眞不知道他是在笑什麼意思的，可能是嘴角抽筋吧？

「到底有什麼好笑的啦！」他這種樣子，我好像一個拳頭打在棉花上，軟綿綿的，完全使不上力。

「就是……覺得妳很率眞，態度很直白、很可愛。」

「你的品味眞的很獨特耶，我這樣對你，你還覺得我率眞、直白和可愛？有這麼抖M的嗎？」我的個性的確是直來直往，不喜歡彎彎繞繞，但會對他如此強勢，是因爲我想藉此勸退他。我實在不是個好歸宿，拜託不要在我身上浪費時間了。

可惜，就目前看來，勸退的效果甚微啊。

「可能是我對妳有喜歡濾鏡，所以無論妳做什麼，我看起來都覺得很好吧。」猝不及防的，我又被他的發言雷到起雞皮疙瘩。

「你可不可以不要一直對我說喜歡啊？」這句話要是被別人聽到，肯定會對我翻白眼，畢竟有個逆天的大帥哥瘋狂告白，不是一件很好很幸福的事嗎？但我這個人，遇到不感興趣的男生對我示好，都是敬謝不敏，跑得跟飛得一樣快。

「我以爲我說久了妳就會習慣，結果還是被妳打槍了啊。好吧，我們暫時不要互相傷害，我不跟妳說喜歡，妳也別說不喜歡我，怎樣？」

「很好，就這樣。」如果能跟他好好講話，至少還能當個點頭之交。

「那妳要不要說說對這次公演的看法？」

「其實我沒什麼藝術細胞，不太清楚哪些是好的，哪些是不好的。」只覺得非常同情劇中母女的遭遇。

「妳是觀眾，本來就可以依照自己的審美進行評論，哪裡需要什麼藝術細胞？」

於是我作爲外行人，說著外行話：「我有點看不懂結局。陳老師是眞的殺了那些強暴筱婷的青年嗎？」

「其實這個故事，是我在翻閱陳年的卷宗時，發現的眞實案例所改編的。」

「眞實案例？」

「妳有聽過『南橋連環謀殺案』嗎？距離現今，差不多過了二十五年。」

「二十五年？拜託，我那時候還只是個流口水的小屁孩，怎麼可能聽過？」

「是啊，二十五年前的案例，妳應該是不會聽過的。當時震驚國內，幾乎人人自危，可隨著時間的淡化，知道且還記得的人已經不多了。」

「震驚國內？所以是眞的死了很多人啊？」

「現實中的陳老師，同樣是個大學教授，丈夫過世得早，一直獨立扶養女兒孟孟。孟孟讀高中的時候，因爲跟不上進度，主動提出要上補習班的要求。陳老師答應了孟孟，但她沒想到，孟孟會被六個逃家的青年盯上，某天夜晚被拖到巷子裡侵犯。直到隔天，陳老師才找到渾身赤裸且充滿大小傷痕的孟孟。她帶她去醫院做治療，並且報警，然而警察卻以巷弄昏暗、沒有監控設備爲由，打發了陳老師，要她管好小孩，不要再糾結那些『無關緊要』的事。」

「哇操，就這樣？難道不可以申訴嗎？」

「在那個年代，申訴沒什麼用，大家還是會怪她，認爲『她應該管好孩子』、『不要再節外生枝把事情鬧大』，或是問她『這樣等孟孟長大後，她能嫁給誰』這類沒同理心的問題。」

很能體會陳老師困境的我，在心裡罵了一個髒話，接著問：「所以陳老師就是因爲這樣，帶著孟孟搬到鄉下去？」

「是啊。她發現孟孟的狀況越來越差，於是辭職，帶著孟孟回娘家。娘家位於城市的近郊，陳老師將孟孟交給母親照顧，她則在當地高中找到公民教師的職位。同時，她還繼續追查那一晚，究竟是誰侵犯了孟孟。」

「後來有找到嗎？欸，你說故事可不可以連貫一點，不要斷斷續續的，是不是她有找到，才——」

「這位小姐，妳可不可以不要這麼著急？妳應該要先跟我說妳家住在哪裡才對吧？」鍾子鳴對著我苦笑。

不知不覺，我們已經穿過通往大門的椰林大道，站在校門口外的十字街口。

「我不需要你送，可以自己回家。」

「是我約妳看公演，怎麼可以讓妳自己回家？」

「我爲什麼不能自己回家？我又不是什麼小公主，還需要騎士護送。」

鍾子鳴歪著頭，「妳怎麼能確定，妳在我心中不是公主？」

感覺他又要講肉麻兮兮的話，我皺了皺眉，「不是，我——」

「妳在我心中，是獨一無二的公主。」他打斷我，認眞地問：「方可緋，妳怎麼都不好奇，我爲什麼喜歡妳？」

面對這個問題，我心中充滿了尷尬，仍硬著頭皮回答：「其實我認爲，不用把每件事情都搞得那麼清楚，你有你的祕密，我有我的想法，這樣就夠了。而我的想法是，我有喜歡的人了，眞的沒辦法喜歡你。」

如果他能繼續跟我聊案例，那我們之間就不會到結束都飄散著不自在的氣氛。

「妳喜歡的人是上次那個，載妳回家的麻清栩？」

「你怎麼會知道麻清栩？」這個人是有掃描器嗎？掃過去就知道對方叫什麼？

鍾子鳴笑了笑，反問：「我們還在讀書的時候，只要是T大生，應該不會有人不知道麻清栩吧？」

這是大實話，麻清栩是校園王子，過著充實又燦爛的學生生活，做什麼都很傑出，參加任何比賽都會得獎。

最熱血的，莫過於他帶領T大籃球校隊，打進UBA的四強，最後的決賽階段，可以說是轟動整個T大，大家都沉迷在麻清栩揮灑的汗水下。

「那時候總會有一個大男孩在妳的身邊，讓暗中觀察的我，覺得自己完全沒有機會。」

這不用明說，我知道他指的是麻清栩。

微風輕輕吹拂，他的眼神依舊專注，「然而，現在看來，機會是一直存在的，只是我當時錯過了，沒積極爭取。所以這次，我不會輕易放棄。」

第八章　喜歡與矛盾

鍾子嗚的話，勾起了我大學時期的一段記憶。

麻清栩是個熱愛運動的陽光少年，特別喜歡打籃球，運球和閃人的技巧絕佳，投籃還特別神準。

但不知道為什麼，國中到高中時期他都沒有打過任何正式的比賽，直到上了T大，籃球校隊的隊長無意間發現他這個百年難得一見的奇才，拚了老命想遊說他加入。耗費了一個月，麻清栩依舊意志堅決地說「NO」。

倒是我這個旁觀者，深刻感受到學長的決心，忍不住勸他進校隊，這樣能一邊練自己喜歡的球，一邊為校爭光。

「我為校爭光做什麼?學校也不會以我為榮啊。」

「只要你打出好成績，學校當然會以你為榮。而且你不是很喜歡打球嗎?加入校隊，還可以跟隊友好好切磋。」

麻清栩自傲地抬起下巴，「拜託，T大籃球隊的菜雞太多，我怕跟他們打會氣到腦中風。」

我睨了他一眼，「你該不會是怕自己加入校隊後，被發現球技太爛吧？」

「喂！不要用激將法好嗎？我的球技怎樣妳難道不知道？而且我去參加校隊有什麼好處？」

「好處？難道變得更健康和更受歡迎不是好處嗎？」

「我本來就很健康和很受歡迎好嗎？還需要參加籃球隊加持？」

雖然很自戀也很猖狂，我得內傷但也無法反駁，只能用頭撞他的肩膀，「哪有其他的好處啊？得到我的鼓勵和應援算嗎？」

原本我是在開玩笑，沒想到卻聽到他說：「當然算啊，傻瓜。」

「什麼傻瓜？你才傻！你全家都傻！」惹我生氣的結果是他一連挨了我幾拳。

結果我拳頭都痛了，他還是不痛不癢，對我挑釁地哈哈大笑，「妳很弱耶！打得這麼小力，是不是沒吃飯？我看妳明明吃很多呀。」

「麻清栩！」怎麼可以對一個少女說出吃很多的鬼話！

「在！」

「你好煩哦！」

麻清栩笑得眼睛瞇成了一條線，彎彎的，在陽光的照耀下非常非常迷人。

我看傻了眼，一時間忘了生氣，心跳加快，迷迷糊糊地被他拉著走，走過椰林大道、穿越繁忙的馬路，他總是與我寸步不離。

當下我多麼希望，我們一同行走的路，可以再遠一點，再難到達一些。這樣我就能夠更若無其事地陪伴在他的左右，享受他帶給我的溫暖。

然而，在他加入籃球校隊後，能單獨相處的時間銳減，他必須花很多的精力在練球上。

「欸，妳覺得我染這個髮色好看嗎？」

聞言，我抬起頭，看著一臉臭美的麻清栩。

上大學的麻清栩雙手迎接遲來的叛逆，他把頭髮染成金黃色，搭配他每天曬太陽卻怎麼都曬不黑的白皙皮膚，與俊美絕倫的深邃五官，完全是個人間凶器，專門奪取少女心。

我無奈地說：「快要期末考了，你不好好看你的書，在這邊問我髮色好不好看？」

也不知道是誰因爲練球疏忽太多課業，爲了避免自己被二一，昨晚哀求我陪著他讀書……

「問一下又不會花多少時間。妳快點回答我，我覺得我染這顏色滿好看的呀。」

他頂著一頭金黃色的頭髮，對我搖頭晃腦。

我哭笑不得，「你這顏色染很久了呀，在學校那麼受同學歡迎，你明知故問？」

「他們覺得好看又不是妳覺得好看。」

「我覺得呀……金黃色是滿好看的，不過我比較喜歡你原本的髮色。」

「妳說，黑色嗎？」

「對啊。也不是說之前比現在好看，而是我比較習慣你黑頭髮的樣子。」看了那麼久的黑毛小子，突然變成金毛，難免有點審美衝突。但麻清栩是真的好看，無死角的顏值，無論頭髮是什麼顏色，都好看得讓人捨不得眨眼。

「是這樣啊，我還以爲妳會喜歡我染頭髮呢。」

見他一臉失落，我忍不住心疼，「我又沒說不好看，你幹麼一臉幽怨？你這樣也很帥，是讓人回頭率超高的帥哥。」

「我又沒有想讓他們看我……」

「什麼？」

「沒什麼，我們讀書吧，妳的筆記借我看，傍晚我又要去籃球場跟阿春他們練球。」

阿春是我們同系不同班的同學，身材高大，粗估有一百九十公分，一般人撞過去，大概會被彈回來。

雖然跟麻清栩比，他的動作是笨拙很多，但他的先天條件好，當個卡位的中鋒綽綽有餘，於是校隊隊長阿涂學長在拉攏麻清栩的過程中，一併拉攏了他。他讀私立高中時，整天讀書，快要悶壞了，正想考上T大後，加入運動類的社團，好好活動筋骨。阿涂學長一邀，他便興高采烈地加入。

之後麻清栩在我的勸說下也成爲校隊的一員，兩人一起練球久了，練出了好感情，變成彼此的好哥們兒。

「我怎麼覺得阿春每天都在練球？他難道不用讀書嗎？」

「他哦，他已經放棄這學期了。」

「放棄？」

「他期中考很慘烈，就算期末考滿分都不見得可以及格，所以他決定把目光放在即將到來的籃球四強賽上。但我不一樣，我期中考考得不算差，還有救，不能這麼早就放棄治療。主要還是我有妳這尊菩薩能超度我，光是看到妳坐在我面前，心靈都得到淨化。」

我聽麻清栩如此肉麻，眞是要被他們這對活寶氣笑了。

「什麼淨化不淨化的，你快讀你的書啦。」

麻清栩接過我的筆記後，對我燦笑，「好啦，我會乖乖讀——對了！一直忘記把這個拿給妳。」

「嗯？」好險我們是在預約的單間自習室讀書，不然他這麼愛講話，早就打擾到其他人了。

「四強比賽的門票啊！我們第一場跟K大比，就在我們學校體育館，妳也不用辛苦搭車到其他地方去看球賽。」

「哦……」看著他遞給我的票券，我不好意思承認我早就買好了，只不過我只買到冷門的位置，他給我的，是視野絕佳的海景第一排。

「妳要來看啊！一定要來！」

「我知道啦。」我怎麼可能不去？那天除了是四強的比賽，還是麻清栩十九歲的生日。

「那說好了，妳不能賴皮。」得到我的承諾，他高高興興地繼續讀書。

我們讀到了傍晚，才一起離開自習室。陪他走去籃球場的途中，遇到一個他認識，我卻不認識的同學。

那同學一見到麻清栩便調侃：「欸，你這小子豔福不淺耶，這麼快就換女朋友啦？之前那個呢？」

麻清栩看了我一眼，隨即把我擋在身後，回答：「她不是我的女朋友，而且我也沒交女朋友。」

「騙人！你們系上的葉凱娣不是很喜歡你嗎？我都聽阿春說了，她爲了追你，每天都跑去籃球場邊看你打球。都說女追男隔層紗，我就不信你沒有對她動搖。」

雖然有點搞不清楚是怎麼回事，可我的心酸酸的，很不好受。

「我眞的沒有……你可不可以不要這麼八卦？」

「好啦，我知道你的顧慮，畢竟在現任女友面前，說前任女友不太好。那我走啦，不拆你台了。」

明明都說完了，還在那邊說什麼不太好，未免太不厚道。

「那個……方可緋，妳不要聽他亂講，我沒有交女朋友。」在那同學走後，麻清栩轉過頭跟我解釋：「他是在嫉妒我，才會說那些奇怪的話。」

「我知道，我沒那麼傻。」嘴巴這樣說，我的心裡還是難免有疙瘩。

不過麻清栩要是眞的交女朋友，依照我們的交情，應該不會隱瞞，會介紹我和他女友互相認識。

就像他高一和校花學姊孫可姿交往時，就約了一場很尷尬的下午茶會。

原本孫可姿以爲要和麻清栩在咖啡廳的包廂單獨約會，沒想到裡面還坐著我充當LED電燈泡。

當下孫可姿的臉就黑了，強忍著脾氣，問我怎麼會出現？

我也不知道自己爲什麼會出現。畢竟我沒有自虐的癖好，願意看著喜歡的人跟女朋友在面前秀恩愛。

當天孫可姿臉一直很臭，而麻清栩一直狀況外，搞不清楚發生了什麼事……完全不是秀恩愛，是修羅場。

「我沒有跟葉凱娣交往。」他對著我再強調一次。

「嗯。」我除了點頭相信他，好像也做不了什麼，也沒資格做什麼。

然而，變故來得很快。

麻清栩與隊友打UBA四強的第一場比賽，卻被K大的前鋒刻意針對，在他灌籃的時候從身後大力衝撞，眾目睽睽下將他撞倒在地。

麻清栩的右手臂因爲撞到地面而受傷，使他痛得扭曲了俊美的五官。

T大的籃球隊員徹底暴動，掐著K大選手的衣領，怒氣騰騰地想討個說法。

我坐得近，看得清楚，心疼得連呼吸都不順，眼睜睜看麻清栩在醫護人員的攙扶下站起身，在一片吵鬧聲下離開球場，往我看不見的休息室走去。

同時，我迅速抓著背包往外跑，想趕到休息室確認麻清栩的狀況，不然我根本無法安心。

偏偏這天T大的體育館大爆滿，座位與座位間的走道都塞滿了人，我坐在內側，費了好多時間才擠出會場。

就在我氣喘吁吁地跑到保健室，卻意外看見，我人生中最難以忘懷的一幕。

一個女生，雙手覆蓋在麻清栩用繃帶包紮的手臂上，身體微微前傾，閉眼親吻著麻清栩。

麻清栩大概是察覺到我出現，感到不好意思吧，下一秒，他立即推開那個女生。

「可、可緋妳來了啊？我正要傳簡訊跟妳說我沒——」

「對不起，我……打擾到你們了？」我看見那女生長得很漂亮，與麻清栩很般配。

「沒有，我跟她沒有關係。」

深根心底的不安與自卑，讓我無法相信他的話，只能勉強擠出一絲笑容，「不用辯解啦，我明白。我、我看你沒事就好了，先走了啊。」

說完，我轉過身，用手遮住我淚水潰堤的眼眸，像逃命一般地逃離現場。

其實我早就知道，也早該做好心理準備，那麼好的麻清栩，不可能一輩子都由我獨占。但我就是無法放棄，無法放下喜歡麻清栩的執念。

親眼目睹他和別人在一起，算是對我過於貪心的懲罰吧……

放在褲子口袋的手機不停震動，我沒有接起來，呆呆坐在行政大樓的戶外樓梯，努力想讓自己冷靜下來。

可不知道為什麼，我無法停止流淚，越擦眼淚流得越多，滴滴答答的，好似都不會停止。

「妳還好嗎？」突然，面前出現了一位有點高、有點肉肉的男生。

他對我釋出善意，而我匆匆抹去臉上的淚痕，跟他說：「我沒事……」

「妳還需要衛生紙嗎？」他一邊說，一邊遞出一包未開過的紙巾。

我顫抖著雙脣，面對這樣的好意，只能伸手接過，「謝謝你。」

男生欲言又止，搞得我也很尷尬，不知道他想做什麼。

躊躇了好一會，他才又說：「妳爲什麼一個人在這裡哭？」

「遇到一些事情。」我沒有跟人分享心事的習慣，更不會跟陌生人閒聊。不過我知道他的詢問是好意，我不會很反感。

「哦……是失戀了嗎？」

「算，也不算吧。」畢竟這是一場無聲的暗戀，被我喜歡的人，自始至終什麼都不知道。

「那妳不打算接電話嗎？」

垂下眼眸，我看著從口袋拿出來的手機，想要接，又害怕接起來會是我不想聽的消息。

「我……等等再接。」產生逃避念頭的我站起身，試圖讓自己不會顯得更加狼狽，僵硬地轉移話題：「我們之前見過嗎？我好像對你有點印象。」

他對我微笑，「其實我們在圖書館有見過幾次面……有一次妳還幫我解圍。我很感謝妳，就擅自把妳記起來了。」

「解圍？」我皺著眉頭思索。替別人解圍這種行爲實在不像是我會做的事，但他也不像騙我。

「妳一定不記得了，那時是期中考，我比現在還要更胖，胖了一圈。」

「啊！你就是那個上個廁所，筆記就被人偷走的法律系學長？」

期中考週，很多人都會跑到圖書館讀書，連我也不例外。

有次他坐在我的斜前方，一整個早上都很認眞專注地溫習考試範圍。

不過，他一去上廁所，就有人非常不自愛，走到他的座位旁邊，拿走了桌上擺放的筆記本。

那個擅自拿走別人東西的混蛋大概以爲大家都在埋頭苦讀，不會注意到這詭異的行徑，偏偏我不太專心，全程觀賞。

他上完廁所，回到原位，立即發現桌上的筆記本不翼而飛，爲了不打擾其他人，他盡可能保持安靜，又神色慌張地找尋。

我原本以爲是與他交好的同學在惡作劇，可看到後來，發現這單純是一場偷竊與霸凌。

於是我站起身，快步走向後三排，站在那個不知道在竊笑什麼的混蛋面前，用力地拍打桌面。

混蛋嚇了一跳，口齒不清地問我要幹麼。

我記得，我好像是皺著眉頭說——笑什麼笑？牙齒白啊？把筆記本還給他！

「要不是有妳幫我，我就要不回那筆記了，謝謝妳。」

「有什麼好謝的，舉手之勞而已……」

回想當年，我眞是個好傻好天眞，熱血到難以直視的笨蛋青年，以爲只要有正義，就算手無寸鐵，也能打遍天下無敵手。

要不是現實社會狠狠打了我一巴掌，不然我可能會一直扮演英雄救美的英雄角色。

原來鍾子鳴是當時的那個人。

可是對我來說，面對自己喜歡的人，無論他做什麼、說什麼，都會用愛的濾鏡來看待，就算麻清栩扮了很醜很醜的鬼臉，我都能在其中找到可愛之處。

相對的，遇到不喜歡的對象向我告白，或者說什麼他不會放棄的話，我就會立即頭皮發麻、全身起雞皮疙瘩，隨便瞎掰一個理由來逃離現場。

但我從鍾子鳴的眼裡看見了他的堅持。他似乎從未採納「放棄」這個選項，明明看出我的排斥，仍主動說要與我從朋友開始。

現在的帥哥都這麼沒節操嗎？我都拒絕成這樣了，他卻一點都不生氣，如同抖M般地要與我繼續互動交流。

「眞是快瘋了……」

「妳爲什麼要瘋了？」

就在我獨自走回公寓門口，嘴裡喃喃自語，想著該如何以更果決的態度阻斷鍾子嗚的單相思時，麻清栩的聲音赫然傳入耳膜。

我嚇得倒抽一口氣，雙眼瞪大，側過頭看著有兩三天未見的麻清栩。他好像有點憔悴，黑眼圈深了許多，與過往的陽光白皙型男相差甚遠。帥還是很帥，就是走頹廢自然煙燻風。

「你怎麼會在這裡？」

明明累得半死，幹麼還像電線桿一樣站在我家門口？

「我要當面跟妳談那件事啊！每次用電話講，妳都顧左右而言他，不願意說清楚。」

「我說得很清楚了。那晚發生的所有事，都是我自願的，你根本不用放在心——」

就在我以急促的語調，要求他不要把「眞實版的4K畫質春夢」放在心上時，麻清栩突然說：「妳的手機在震動。」

「什麼？」聞言，我急忙從口袋裡掏出公演前調成震動模式的手機。

螢幕上顯示一串陌生的電話號碼，我遲疑了一秒後，隨即接通。

「妳好，我是S大附屬醫院的護理師，請問妳是蕭美雲的家屬嗎？蕭美雲在三民街的路口與小客車發生擦撞，十分鐘前送達本院。初步判定右腳骨折，其他……」

似曾相識的緊急通知，宛如核彈轟炸腦袋，把我炸得支離破碎，將我瞬間拉回當年意外發生時的驚恐中。

那場意外，使我不得不對麻清栩失約，導致他隻身飛往美國，而我留在國內，焦頭爛額地處理意外的後續。

我一直沒有跟他坦白失約的原因，因爲我不想絆住他翺翔的翅膀——

「請問妳是蕭美雲的女兒方可緋嗎？」

「我是，請問你是……」

「妳好，我是高市南區分局派出所警員。妳母親目前在S大附屬醫院的加護病房，疑似被她的前夫……也就是妳的父親毆打，在家中失去意識，隨後被鄰居發現送醫。經查詢，發現妳母親沒有其他親屬，妳現在人在哪裡？方便過來一趟嗎？」

我停下打包出國行李的雙手，顫抖著雙脣，一時無法回神。

「妳母親的情況並不明朗，有些事情還請妳到場處理比較好。」

我感到頭暈目眩，雙腳支撐不住身體的重量，使我恍恍惚惚地跌坐在地。

「方可緋？請問妳有聽見我的聲音嗎？」

「……有的，對不起……我一時間嚇壞了。我馬上就回去……馬上……」

我忘了那天，是怎麼拿取返回南部的隨身行李。

也忘了那天，是如何從宿舍搭車前往高鐵站。

到達醫院，隔著玻璃窗，看著渾身是傷的母親躺在加護病房，插滿了管子。

醫生跟我解釋病情，我一個字都沒聽進去。直到後來情緒穩定下來，我才漸漸意識到自己面臨的問題有多嚴峻。

撇除腦部問題，我媽的肋骨斷了三根，腰椎L2段有不小的裂痕、左手手臂和左大腿骨折、右小腿骨裂，還有其他數不清的傷，全身上下可說是沒有一個地方完好。

好幾次醫生都說她情況不樂觀、病危，她還是從鬼門關闖過，整整掙扎了將近一個禮拜，才意識清醒，回到人間。

後來她臥床半年，兩條腿的骨頭癒合後，又開始慘無人道的復健之路。

而家裡所有的物品全被一個人渣砸爛，砸得什麼都不剩。

我爲了籌錢，工作非常忙碌，請了一個二十四小時的看護工替我照顧她。

那段日子是另一場惡夢……

我張開嘴，說不出話，雙腳與那天一模一樣，失去支撐身體重量的能力，正要跪在地上的前一刻，麻清栩快速伸出手，將我半摟半抱地帶入懷裡。

他拿過我的手機，與電話那頭的護理師進行簡單的交談。

掛斷電話後，他輕拍我不斷顫抖的背脊，低聲哄著：「沒事沒事，護理師說妳媽傷得不嚴重，會打電話來是要通知妳，她準備要去做簡單的手術。不要怕，嗯？」

「不嚴……不嚴重嗎？」

人真的是很奇怪的生物，明明在沒有人可以依賴時，可以自行完成很多事，並且快速做出很多決定。但一旦有機會被疼愛，卻連話都說不清楚，取而代之的是不斷宣洩，無法停歇的眼淚。

「對，不嚴重。我們現在先去搭高鐵，一眨眼就到了，到時候妳媽肯定已經動好手術。」麻清栩把我的頭抬起來，嘆了一口氣，無奈地說：「妳怎麼哭成這樣？不要哭啦，幹麼自己嚇自己呢？」

「我就是……我就是……」想起以前了。

想起那一天，我獨自蹲坐在加護病房外，徬徨無助，不知該如何是好。

「麻清栩。」我喊著他的名字，把臉埋回他的胸膛，哽咽地說：「我想抱抱你……我想你抱抱我……」

或許我應該再度武裝自己，佯裝從未有過軟弱的一面，可我發現我做不到。只要他對我展現一點點，一點點的溫柔，便能瞬間瓦解我身上的鎧甲。

「嗚……」感受到他雙手環在我的腰際，緊緊抱住我的那一刻，我徹底崩潰，在他面前嚎啕大哭。

流出彷彿好幾公升的淚水，幾乎浸溼他的襯衫。

他始終不曾鬆開手，而是把頭靠在我的頭頂上，「妳這個樣子，我該對妳怎麼辦呢？」

我不是很明白他說這兩句話的意思，夾帶著鼻音問：「嗯？你說什麼？」

「我說，我不允許妳再把我推開。從今以後，由我負責妳的人生。」

雖然對麻清栩突如其來的強勢宣言感到一頭霧水，但我無論如何都無法鬆開雙手放他自由。我唯一能做的是一邊流淚，一邊吐槽：「你以為你是霸道總裁哦？耍什麼帥呀。」

「我不是耍帥，我是本來就很帥。」麻清栩的臉皮大概子彈都打不穿，對自己非常有自信，「我不介意妳迷戀我的美色，畢竟我天生麗質，到哪都能拉高那一區男生們的顏值水平。」

面對他為了哄我開心，故意的臭美，我破涕為笑，「你可不可以正常一點？說點人話。」

「妳想要聽人話是嗎？」

「嗯！」或許是我太矯情，此時此刻，竟開始期待他能說出什麼動人的情話——

明明我們還沒有說要交往，甚至能辯稱摟抱只是行為上的踰矩，可我的思維完全不受控，瞬間發散到很遠的地方去。

「方可緋。」他輕蹙著眉頭，仔仔細細看著我抬起來的臉。

「嗯？」

「妳哭完後的臉，還真的是超——醜。」

啪。我清楚聽見理智線斷掉的聲音。果然啊，不能奢望狗嘴能吐出什麼象牙。

「麻清栩，你他媽有病啊你！」

「我媽沒病，是妳媽正在動手術。好了好了，妳不要哭，也不要再生氣，趕快一起去高鐵站買票。」麻清栩拿手帕擦我臉上的淚痕時，還閃過我揮舞的小拳頭。

我根本捨不得用力，寧願砸痛自己的手，都不想打傷他，虛張聲勢地打沒幾下，右手便乖乖地由他握在掌心。

「方可緋。」當我們走過小巷，站在繁忙的十字街口，他再度喊了我的名字。

「怎麼？你又要說我醜？」如果他敢再講一次，我怕明年的今天會是他的忌日。

他聽了我的話，笑了一下，「不是，我沒有要說妳醜。」

「那你要說什麼？」

「我想說一件，我藏在心裡很久的事。」

我不知道他賣什麼關子，抬頭望著他。

「方可緋，我眞的，眞的，很喜歡妳。」

很久，是什麼概念？

我活到二十八歲，其中有十三年，將近五千個日子，都在暗戀麻清栩。

這個過程中，我體會到高興、沮喪、雀躍和難過這些不同的情緒，但終究還是苦多於甜。

有時候明明沒做什麼，光是看他對別人笑，心裡就澀澀的，渾身不自在。

一邊懊惱爲何自己這麼小心眼，一邊埋怨麻清栩太過遲鈍，完全接收不到我對他的情感與依戀。反反覆覆，矛盾到自我懷疑。

然而，我怎麼都沒有意料到，會有麻清栩跟我表白的一天。

他還說，喜歡我很久了……他的很久，是多久呢？

「唉！就一點小傷，你們還刻意跑來做什麼？」晚上十一點，我與麻清栩搭乘高鐵，再轉捷運，終於抵達了S大的附屬醫院。此時的老媽已動完手術，轉送到普通的單人病房。

剛聽了護理師的說明，再回過頭看著不停趕我們回去的老媽，頓時感到很頭痛，「這位太太，妳右腳都斷了，我當然要過來看妳啊！」

「那妳來就好了，幹麼拖著小栩？他工作很忙，妳身爲女朋友，要體諒人家。」

「他現在比我還想趕著孝順妳，妳讓他不要來，豈不是沒給他表現的機會？」麻清栩這馬屁精，一進病房就與我媽熱烈寒暄，親暱的模樣，不知道的人還以爲是她的親生兒子。

「我當然想給小栩表現的機會，但這件事可以細水長流，不需要急於一時。你們都要工作，突然跑下來，所有的行程都被打亂了吧？」

「既然知道我們的行程會被打亂，妳就不應該闖黃燈啊！跟妳講幾百次了，黃燈是讓妳慢慢停下來，不是要妳快快趕過去！好了吧，遇到一個比妳還不守規矩的人，相撞在十字路口，把妳的腿都撞斷了！」

「如果妳從台北趕回來，只是爲了叨念我，那妳不如別來，讓小栩來就好。」

「媽，妳剛才說別讓他來，現在怎麼瞬間反悔？」

「我對他那是客套，我對妳客套什麼？」

呼，眞的會被我媽氣死。

「不過你們回來也好，這樣我能確認你們還有沒有在交往。妳平常不要這麼伶牙俐齒，眞擔心小栩受不了妳的臭脾氣。」

「我伶牙俐齒？我臭脾氣？也不想想是遺傳——」

「阿姨，妳放心好了，可緋私底下對我很好，都不會亂發脾氣，還很溫柔。」麻清栩先去廁所端了一盆水，聽到我們毫無營養的爭執，便走了過來，把水盆放下後，摟住我的肩膀，「都是她在照顧我的。」

雖然這是謊話，但令人生氣的是我媽的反應。

她狐疑地看著我們，眞誠地問：「小栩，那個對你很溫柔、不會亂發脾氣和照顧你的女人，眞的是方可緋？」

麻清栩聽了我媽的眞心話，忍不住笑了，「阿姨，那個人眞的是可緋，她一直是對我最好的人。」

「眞的啊？」

「嗯，千眞萬確，我沒有騙妳。」

說沒有騙人，可我知道這都是麻清栩的瞎掰鬼扯。

「既然是這個樣子……你什麼時候要娶我女兒？」

「媽，妳的話題也轉太快了吧！」上一秒才在確認麻清栩說的那女人是不是我，下一秒就在催婚，難道催婚已成爲我媽的反射神經了嗎？

「我沒有轉很快啊，我只是覺得你們年紀都不小了，要盡快成家立業嘛，早點定下來是一件好事。而且，我看小栩這麼喜歡妳，怕妳過了這個村就沒這個店，妳不要給我自抬身價啊，免得小栩反悔之後妳跑來我面前哭。」

眞是一個白眼翻不夠，要千千萬萬個白眼才能抵擋我媽的垃圾話。

「我根本沒有——」

「阿姨，如果可緋願意，我明天跟她去公證都行。」

這下子，我不是翻白眼，而是瞪大眼睛，一臉錯愕地看著胡言亂語的麻清栩。然後用眼神強烈地示意：你是在工撒小朋友？說謊也要打個草稿。

「唉呦，這麼積極？」麻清栩的馬屁拍得響，我媽頓時高興得眉開眼笑，「我就喜歡小栩這個樣子。不過結婚不是小事，至少我們雙方的家長都得一起吃頓飯，互相認識後，看你們要登記還是舉辦婚禮，都可以。」

「好，我知道了。不知道阿姨什麼時間方便？我會再跟我父母協調。」原本以爲麻清栩是在唬爛，沒想到他眞的要約吃飯？

「麻清栩，你瘋了嗎？」我湊到他耳邊，小聲地問。

「方可緋，妳做什麼？我跟小栩談得好好的，妳不要影響他！」

好哦，最好他可以靠自己完成結婚這件事啦，難道不該先徵求我的同意嗎？我又不是擺設！

「阿姨，因爲這件事情我還沒跟可緋商量過，她聽到我突然這麼跟妳說，才會比較錯愕吧。不過我想表達的是，無論什麼時候，我都做好與可緋步入婚姻的準備。」

聽麻清栩講這些話，我的眼睛頓時就酸了，有點想哭，又不想在我媽面前哭，只能咬著下唇，輕輕用手拉著麻清栩的袖子。

他轉頭看了我一眼，沒有問我爲何拉他，而是說：「阿姨，時間不早了，可緋替妳擦完臉後，我們就不打擾妳休息，先回家睡一下，明天再過來看妳，好嗎？」

「好好好，你們快回家休息。」

「眞的嗎？不需要我陪床嗎？」我皺著眉，還是很擔心我媽。

「妳留下來做什麼？快幫我把臉擦一擦，擦完回去。」

她都這麼說了，我只好去洗毛巾準備幫她擦臉。我媽之前在這裡工作，有很多護理師都是她過去的下屬與同事，他們會格外地照顧她，這才讓我比較安心。

後來，我就跟麻清栩一起離開醫院。

時間已經超過凌晨十二點，我跟麻清栩從北部趕到南部，呼吸不太一樣的空氣，卻有相同的人陪伴在身邊。

「麻清栩。」

「嗯？」

「你剛才跟我媽說的那些話，是眞的還是假的？」

「哪些話？」

「你還裝傻！就是結婚那些話啊……我們明明……還只是……朋友吧？」

麻清栩對著我笑，還伸出手指，抹著我的眼角，「妳覺得我們還是朋友嗎？」

今天實在發生太多事，上班、跟鍾子嗚看戲、接到醫院的電話，還有被麻清栩告白……全部塞進腦袋，造成我的思路當機，只能看著他，說不出話。

「我在差不多兩個小時以前，有對妳說過，我喜歡妳。然後，從妳想讓我擁抱妳的態度來看，我猜，妳應該也是——」

在麻清栩爲我爆雷的前一刻，我拉住他的衣領，踮起腳尖，主動吻上他的雙唇。

下一秒，我正想退開，又被他加重力道，狠狠地親了一頓。我感覺嘴唇又麻又燙，小小的心臟快要因爲他從胸口跳出來。

「麻清栩，我也有一件藏了很久的事情，想要告訴你。」

無論如何，有些話，我都要自己說出口。

夜色昏暗，我卻能立即察覺到，他的眼眶有些泛紅。

「我喜歡你。」

一樣喜歡你很久了。

在你背後，悄悄喜歡你，很久很久了。

第九章　錯過的那些年

「妳不是指定要吃這家的蘿蔔糕嗎？怎麼我買回來了，妳卻一直在發呆？是不是不好吃？」

昨晚，我與麻清栩匆匆趕回南部探望出車禍的老媽，確認我媽無大礙就回到我家，洗了個戰鬥澡，雙雙躺在我房間的大床上。

我終於把當年的意外簡略地說給麻清栩聽，他只是緊緊摟著我，我們陪伴著彼此進入夢鄉。

睡不滿五小時，清晨六點半，我就被忘記取消的工作鬧鐘強迫喚醒。

而我這人最特別的是我狹隘的心胸，既然都醒來了，就不能讓麻清栩繼續睡下去。

於是我伸出腳，踹了一下隔壁的人，用武力驚擾他的睡夢。挨了兩三下的無影腳後，他無奈地醒來，一句抱怨也沒說，認命地去買我想要吃的蘿蔔糕。

「抱歉抱歉，蘿蔔糕真的很好吃，謝謝你一早去買。」吃人嘴軟，我看他不高興，立即雙手合十，對他表達我的感謝之意。

「既然蘿蔔糕很好吃，那妳剛才在想什麼？魂不守舍的。」

「唔，就是不知道怎麼回事，突然想到我們上大學的時候。」

麻清栩皺眉，「上大學？妳說的是，我們忙到要靈魂出竅的苦逼電機系生涯？」

「恕我直言，苦逼的只有你。我的成績還行，除了讀書，平時也沒其他事情要做，哪裡會苦逼了？」雖然麻清栩的成績不算太爛，但他作為一個萬人迷，要分心和分擔的事情太多，時常把自己搞得像熱鍋上的螞蟻。

「嘖，這麼說也是。現在回想我的大學生活，真的是不知道為何要把自己的行程塞得那麼滿。」

看他一臉哀怨，我忍不住大笑，「那是你的青春嘛！充實一點有什麼不好？我還記得有一陣子，你不知道哪根神經不對勁，跑去染了一頭金黃色的頭髮，我嚇了一大跳。」

「我染金色不好看嗎？」

「好看啊，就是有點不太習慣。」畢竟麻清栩的顏值擺在那，誰都不能昧著良心說不好看。

他先是含蓄地笑，接著說：「其實……我是為了妳才染頭髮。」

「什麼？」

「那陣子不是很流行某個韓國團體嗎？妳說其中一位團員染金髮很帥，我就想，如果我也染了金色，說不定妳就會喜歡我。」

我上揚的嘴角，因爲麻清栩的這些話逐漸僵硬。也就是說，至少，麻清栩從大學開始就喜歡我了，才會爲了我改變造型。

「結果，妳竟然回答我黑色妳看得比較習慣，眞是讓我欲哭無淚。」

「對不起，我不知道——」

「妳不必道歉啊！我說出來不是想要妳道歉，更何況，這件事妳有什麼好道歉的？妳只是很誠實地說出自己的喜好。」

「我……我的喜好就是你啊，之前不好意思說，但無論你是什麼造型，我都覺得很好看。」還會有那種，難以克制的怦然心動。

麻清栩的左手撐著下巴，遮住一半微笑的嘴。

「你笑什麼笑啦，我說的是實話。」

「我知道妳說的是實話，才會忍不住想笑。」

我鼓起雙頰，繼續問：「所以你後來又把頭髮染回黑色，也是爲了我？」

「對啊，我所做的一切，都是爲了妳。」明明他是用很輕快的語調闡述事實，我的心臟卻越縮越緊，「我十九歲生日前一天，把頭髮染回妳習慣的黑，還把事前租借的場地好好布置一番，就是想主動與妳告白。不過，無論我再怎麼策劃，再怎麼努力，還是被當天發生的各種意外搞砸了。手受傷已經很衰了，更衰的是，被妳看到葉凱娣在強吻我。」

「我眞的以爲你們……我……」

麻清栩不顧我微弱的解釋，佯裝訝異：「啊！我忘了！還有一件比這更衰，還要更更衰的事。就是妳在誤會我之後，欺負我身體受傷追不到妳，躲了起來，連電話都不屑接。」

「我沒有欺負你！我是受到太大的衝擊，才會想要跑的。」換做是別人，看到自己喜歡的人和另一個人玩親親，都會大受打擊好嗎？

「我馬上就把葉凱娣推開了耶！那時候又不流行戴口罩，她突然親我，我有什麼辦法？」

我微微噘著嘴，「辦法你要自己想啊。當初就不應該讓她靠你靠那麼近，才會被人有機可趁。」

「她一來，就哭哭啼啼地抓住我受傷且無法施力的右手，然後自己感動自己，覺得內心很澎湃，必須要用嘴強行碰瓷——這樣，能怪到我身上嗎？」

「是不能怪到你身上，但問題的根源，是你太招蜂引蝶！」

「妳在說什麼傻話？帥如果是一種罪，我早就無期徒刑了。招蜂引蝶難道是我願意的？我只差沒有點硃砂痣，以此證明我的清白與貞潔，妳還在這邊跟我秋後算帳，嫌我太招搖？」

原本我的心裡很難受，可麻清栩欠揍的說話方式，讓我翻白眼翻到快眼角抽筋，「麻清栩，你不是啞巴眞是太可惜了，就不能安安靜靜吃你的飯，不要整天這麼自戀嗎？」

「我不是自戀，我是本身就——好好好，妳說什麼我就做什麼。」被我威嚇的麻清栩，乖巧地閉上嘴巴。

然而在我們安靜吃早餐的時候，不曉得怎麼回事，被壓抑的情緒再度湧上。原來我們錯過那麼多年……

「妳幹麼吃個早餐，還露出這種要哭不哭的表情？」

我抬起頭，看著關心我的麻清栩，艱難地問：「你後來取消告白，是不是……我傳了，我會一輩子當你好哥們兒和好朋友的訊息？」

麻清栩沉默片刻，才回答：「那時候我也不知道該怎麼辦，就想著，如果妳眞的只想跟我當好哥們兒和好朋友，那我也不會勉強妳轉換身分，無論用什麼角色陪伴在妳身邊，我……我都覺得很高興。」

淚水逃脫了眼眶的束縛，滴滴答答地落在桌面上，我緊緊握著筷子，哭得泣不成聲。

「好了啦，方可緋，妳不要再哭了，說清楚就好啦。我們現在已經在一起了啊。」麻清栩走到我身旁，扳過我的上半身，將我摟在懷裡，「不知道的人，還以為我在交往第二天就欺負妳呢。」

我知道麻清栩是想要放手的。

就在我傳訊息，表示無論發生什麼事，都無法撼動我們的友誼時，他尊重我的決定，悄悄地，狼狽地，退回朋友應遵守的界線。

原本瀰漫在我們之間的曖昧，在那天後，消失得無影無蹤。

當時我以為，是他有更喜歡的人，才會與我保持距離。直到現在，我才後知後覺地發現，他的退縮，是因為太過喜歡我——

「方可緋，妳人在哪裡？剛才的一切我都可以跟妳解釋，是她突然親我，一碰到我的嘴唇我就把她推開了。我真的真的跟她沒有任何關係，妳不要生我的氣，快點回我的訊息好不好？」

就在我的手機累積了超過十通麻清栩的未接來電，他傳了一則訊息給我。

我吸了吸鼻子，抹著潰堤的眼淚，假裝灑脫地回答：「我沒有生氣啊，只是看到那一幕，我覺得很不好意思。你不用跟我道歉，也不用跟我解釋，我們之間的關係沒有必要讓你這麼為難。只要你需要，我會一輩子當你的好哥們兒和好朋友，無論發生什麼事，都不會改變這個事實。」

「我們，就只是朋友嗎？那種不需要解釋道歉的朋友嗎？」

「我們是朋友啊，不需要解釋和道歉，我能明白你做的選擇。」

他沒有再傳訊息給我。

「你現在要做的不是跟我解釋，而是趁還沒過十二點，跟你喜歡的人，一起度過十九歲的生日。」

打完這則訊息，我全身的力氣像是都被抽乾了。

最後只能艱難地用手指敲著螢幕，發送我的祝福：「阿栩，生日快樂。」

「妳有沒有這麼愛哭啊？是水做的嗎？一戳就流淚。」

轉眼間，過了十年。

要不是昨晚我被壓力擊垮，像是抓著一根救命稻草，請他抱著我，不要離開我，那我們還會再錯過，下一個、下下個、下下下個十年……

「你都不難過嗎？」我都哭得這麼慘了，他還在笑。

「我難過什麼？現在我們已經在一起了，不是要高興嗎？」他一邊拿著衛生紙擦拭我的雙頰，一邊無奈地說：「至少老天爺只花了十年，就達成我當年的願望。」

「願望？」

「我的生日願望呀。我第一個願望，是希望方可緋不要再遇到爛人；第二個願望，是希望方可緋可以平平安安；第三個願望比較自私一點，是想要……方可緋能喜歡我，當我的女朋友。妳看，是不是達成了？」

明明他是想哄我開心，卻總是適得其反。我的心都要碎了，只能不停流眼淚，左手抓著他的衣服，什麼話都說不出來。

「不哭不哭，不要哭了。」

沒想到我這麼愛哭，也沒想到我能哭得這麼慘。一大清早的，搞得自己像個神經病。

「如果……如果我能夠……再多相信你一點……那就好了……嗚……」我啜泣著，抑制不住內心負面的情緒。

「其實妳不是不相信我，妳只是不相信自己。妳一定認爲自己配不上我吧？可妳不知道，妳在我眼裡有多麼好，如果沒有妳，我不可能會認眞讀書、努力過著能讓妳刮目相看的生活。因爲喜歡妳，我豐富了我整個青春。」

好險，不算太晚。好險，縱使錯過了，我們還是一直喜歡著對方，一直假借朋友的名義，在原地傻傻等候。

他把所有決定權，被動地交付到我的手上。終於有這麼一天，儒弱的我，鼓起勇氣抓住幸福的小尾巴。

「方可緋，接下來，我就要以男朋友的身分，陪妳一起高高興興度過每一天。」

「嗯！」

「那妳可不可以不要哭啦？妳哭成這樣，好像是我要死了，妳在給我弔喪。」聞言我大力打了他一下，「不要給我胡說八道！什麼死不死的，你再亂說話，我就……我就不理你了。」

「妳這個威脅眞是太可怕了，嚇得我冷汗直流。」也不知道他是不是在唬我，反正他的表情做得很誇張，一點都不眞實。

我有些氣惱，最終還是覺得他太好玩了，忍不住破涕為笑。

「哭了這麼久，一定很渴吧？喝水喝水，喝好水再吃早餐，吃完早餐我們就去看妳媽。」麻清栩像是鬆了一口氣，還不忘嘴上抱怨：「妳也太難哄了，眼睛都要哭成核桃才願意停。」

「還不是你……就是你說了那些，我才忍不住……」

麻清栩雙手插腰，「好好好，妳說什麼就是什麼，我不跟妳爭啦。」

「本來就是，好男不跟女鬥，這句話你沒聽過嗎？」

「都二十一世紀了還在好男不跟女鬥。要這樣，我還不如去變性。」

「你也不用因此變性好嗎！我一點都不想跟你搞柏拉圖。」

「哪裡柏拉圖了？現在這麼多道具好用——」

「麻清栩！你給我閉嘴！」

說著沒什麼營養的垃圾話，卻在無意間掃除了我們心中最後的一絲陰霾。

我們都知道，時間不可逆行，錯過的、逝去的，雖然令人遺憾，但無須憂傷。畢竟人生兜兜轉轉，充斥著太多可能。

接下來的日子能夠攜手度過，已是我們最大最大的幸運。

早上九點半，我與厤清栩搭捷運抵達了S大附屬醫院的門口。一路上，我們都在討論照顧我老媽的方案。

她出車禍，手還斷了，目前是個獨臂俠，她再怎麼堅強，應該都無法照顧好自己，必須有個人來照顧她。

依照目前的情況，厤清栩是不可能留下來，就算他這傢伙，迫切地想在他未來丈母娘面前展現價值，我也會毫不留情地把他轟回去。

開什麼玩笑，老闆每天帶頭不上班像話嗎？

而我最近的確因爲公司異動，萌生了想要辭職、轉換跑道的念頭，但這事情來得太突然，如果我要辭職，也要把事情交接好，不可能馬上回到這裡來照顧我媽。

「我想，還是請個人吧，這樣比較省事。」

「請人來照顧當然比較方便，不過請的人要我們信得過才行。萬一人品不好，沒有好好照顧阿姨就糟糕了。」

「你放心吧，我媽是什麼個性你不知道？什麼都吃，就是不吃虧。」

麻清栩笑了一下，隨後搖搖頭，「我倒是不這麼認爲。阿姨以前在方仰德身上就吃了太多的虧，連帶妳也遭殃。阿姨看似很強勢，實際上她自尊心很高，不輕易給別人造成麻煩。她知道看護是妳請的，哪怕對方做得不好，爲了不想讓妳擔心，也會選擇睜一隻眼、閉一隻眼，自己忍下來。」

「聽你這麼一說，好像眞的會這樣。」尤其是方仰德對我做的混帳事被揭發，我媽透過警察得知一切後，雖然嘴巴不說，我卻很清楚她有多麼愧疚。她對待我，總有一種難以言喻的小心翼翼。

每次見到我都會很開心，可開心沒多久，她就會要我去忙自己的事，不要浪費時間在她身上。

「不過我之前已經有幫她請看護的經驗，我等一下就打電話給之前的看護，問她要不要接這份工作。」

「想到妳跟我說，幾年前阿姨被方仰德打成重傷，妳因此要努力工作賺醫藥費，還得請一個人來照顧阿姨，就覺得他眞的是個大混蛋！如果當時我在妳身邊就好了……」

事過境遷，我不想讓麻清栩難受，他沒有做錯，而是因爲喜歡我，把我放在心裡，才會加倍地心疼我，產生不必要的懊悔。

我安撫著生氣的麻清栩：「算了，沒關係，他在牢裡蹲，刑期還很長，你不用擔心他會再來威脅我們，都過去了。」

「沒有過去。」

「什麼？」

「我說，這件事情沒有過去。妳昨天晚上會那麼害怕，害怕到失常，應該就是回想到妳媽送醫治療，護理師打電話通知妳的情形吧？」如此精準地推理，不愧是麻清栩。

「你是不是有通天眼啊？怎麼隨隨便便都能說中？」

他抿起雙脣，表情不太高興。

「喂，你要見未來的丈母娘，還擺臭臉啊？不笑一個？」站在病房前，我推了麻清栩的胳膊，「萬一我媽覺得你在欺負我，扣了很多對你的印象分數，你就不要對我哭。」

「我不是故意要這樣的……就是很想海扁方仰德一頓。」

「關於這一點，我也有同感。但走入這間病房，就不能讓我媽知道我們又在提那個爛人，她心裡會難過。」

「嗯，我知道，會多注意的。」

我輕輕呼出一口氣，接著拉下手把，推開房門。出乎意料的是，病房裡面除了我媽，還有一個穿著白色T恤的中年男子。

同一時間，中年男子也看向我們，臉上有點不知所措。

「媽，我們來了。這位是妳的朋友啊？」這位先生我之前沒見過，使我非常好奇。

「你們來啦？這位是……是我之前的雇主，他姓周，你們可以喊他周叔叔。」

「妳都在醫院上班，哪有什麼雇主？醫院的老闆嗎？」

「我不是當了一陣子的看護嗎？就是他請我照顧他媽媽，應該算我的雇主吧？」

一想到我媽爲了讓我多休息，跑去當看護，我就覺得有些無奈，有些生氣。也不知道是氣她，還是氣我自己。

在外人面前，我壓抑著情緒，對著那人說：「周叔叔好，之前我媽受您照顧了，謝謝。」

「沒有沒有！是、是妳媽幫了我很大的忙，我很感謝她的。」

雖然不知道他爲何這麼緊張，我也只能露出官方笑容，與他尷尬地對視。

「你們不坐下來嗎？站著有比較好聊天？」我媽一說話，周叔叔立即端正地坐下，聽話到令我匪夷所思的地步。

「周叔叔怎麼會來探望我媽？她的傷勢不嚴重，還讓您跑這一趟，眞是不好意思。」我搞不懂他與我媽是什麼關係，只能靠套話來釐清。

「這樣已經很嚇人了，我聽到差點沒——抱歉，是我反應太大，想著出車禍很可怕，無論如何都要過來看一下。」

我看矮櫃上有一盆乾淨的水和毛巾，就知道周叔叔絕對不是過來「看一下」這麼簡單。

而我媽也是一臉彆扭，眼神悄悄地來回觀察……光是看他們這樣，就不需要再釐清什麼了。

氣氛變得更詭異之前，我直接了當地問：「周叔叔，你是不是喜歡我媽？」

他嚇了一跳，臉色瞬間漲紅，支支吾吾地說：「我、我我、我是喜、喜歡妳媽媽沒錯……對、對不起，我眞、眞的只是過來探、探望她……」

我眨眨眼，轉頭看向我媽，「你們是不是在交往啊？」

我媽的態度比周叔叔鎭定許多，但她游移的眼神洩漏了她的焦慮，「我也是第一次聽他說喜歡我。」

糟了，我一瞬間就破壞了他們中年人的浪漫。

「美雲！我喜歡妳！」周叔叔一慌張就對著我媽大聲告白，喊完臉更紅了，又對著我解釋：「那個……我跟妳媽是國中同學，那時候就喜歡她了，只、只不過……那個……對不起……」

周叔叔這些話實在透露了太多訊息，轟得我和我媽的腦袋都一片空白，只能傻乎乎地對望，最後是比較冷靜的麻清栩打破了僵局：「這麼說來，周叔叔也喜歡阿姨很久了呢。」

從我媽國中到現在，少說也有三十年了吧。看我媽吃驚的模樣，之前大概完全不知道。

「對不起……」周叔叔還在道歉。

「有什麼好道歉的？你喜歡我媽，爲什麼要一直道歉？」我是眞心不明白。

「妳不反感嗎？我、我一個妳不認識的外人，偷偷喜歡妳媽這麼多年……我覺得很抱歉……」

「爲什麼要反感？只要我媽能接受你，你能夠照顧她，我眞的無所謂。」反正再爛也不可能比方仰德還爛。

「我年紀都這麼大了，還說什麼接受不接受，喜歡不喜歡的……」

聞言，我轉過頭，看見我媽一臉糾結，「妳在說什麼呀，無論年紀多大，都有愛人和被愛的權利。更何況妳之前那個……比外面的廚餘還要餿，難道要爲了他守身如玉，一輩子孤孤單單的嗎？」

「我……」

「我不太熟悉周叔叔，不知道他是怎麼樣的人，但作爲女兒我希望妳能幸福。不要因爲遇到一次爛人，就把心封閉起來，用餘生來折磨自己。」見一旁的周叔叔一副欲言又止的模樣，我知道他一定有話想要對我媽說，於是我決定把這個空間留給他們，「你們好好談一談吧，我跟麻清栩先去附近走走，等你們談好了我們再回來。」

「不用這麼麻煩啦……」

「我覺得需要這麼麻煩啊，這是妳的終身大事，當然要慎重其事。」

說完，我拉著圍觀的麻清栩離開病房。

「我們先去下面的咖啡廳坐著吧。」我的步伐又急又快，也沒能好好觀察身後的麻清栩是什麼表情。

直到我們走進電梯，透過鏡子，才發現麻清栩正用很溫柔的眼神注視著我。

「你幹麼啊？」

「沒幹麼啊。」

「沒幹麼的話，用這麼肉麻的眼神看我做什麼？」

「就是覺得，妳人眞好，我沒有喜歡錯人。」

電梯到了一樓大廳，我的臉因爲麻清栩的話又熱又燙，還嘴硬地說：「我、我哪裡好了？只是正常反應而已。」

我啊，一直很希望我媽能找到可以照顧她、對她好的伴侶。

我站在醫院大廳的角落，遠眺外側燦爛到刺眼的陽光，「方仰德在我們大學畢業那年，曾向矯正署提出假釋的申請。出獄後，他委託徵信社調查我和我媽搬家的新住址，在我家附近住了一個星期。他看我媽獨居，動了歪腦筋，想繼續和她要錢。」

「就是發生意外那時候？阿姨給他錢了，是嗎？」

「我媽恨死他了，怎麼會給他錢？可他不死心，好幾次來糾纏，都被我媽擋在門外。他逐漸失去耐性，從一開始低聲下氣地要錢，到後來撕破臉，對著我媽咆哮辱罵。」

「他這種行爲，已經算是嚴重騷擾了吧？阿姨都沒有報警？」

「沒有，她很擔心被我知道，怕我一知道，就會跑回來與方仰德碰到面。」

「但阿姨一直把方仰德擋在外面，那個人渣怎麼可以傷害到她？」

我重重地抿了一下雙脣，壓抑眼眶的熱意，「因爲方仰德跟我媽說，他手裡……有我的裸照。」

「操！」脾氣向來很好的麻清栩難得會罵髒話，「方仰德有病啊？」

「嗯，他這個人，渾身上下都是毛病。」

方仰德聲稱有我的裸照，無論如何我媽都不可能不管，只能開門讓他進屋裡談。可暴躁的方仰德根本沒有要談的意思，一進門就開始毆打我媽。

赤手空拳還不夠，他拿著家裡的木棍，一下一下砸在我媽的身上。

我媽就這樣毫無抵抗能力地被他痛打，打到抽搐昏迷。方仰德見狀，害怕地逃走，連門都忘了關。

路過的鄰居看見門半開著，覺得奇怪，一靠近就發現我媽倒地不醒，氣息微弱，好像要死了。

「警察打電話給我，我才知道，我媽……我媽已經奄奄一息。我腦袋一片空白，根本不知道是怎麼趕回來的。然後……然後我的手機一直響……」

麻清栩眉頭深鎖，「手機一直響，就是我不停打電話給妳，對嗎？」

我張開嘴，哽咽地點頭，「對，那是我們準備出國的前一天。我……我很對不起你……但……但我眞的不是故意的……」

麻清栩深吸一口氣，接著伸出手，再度把我抱緊。

「是我對不起妳，沒有在妳最需要我的時候，陪在妳的身邊。」

「哪有……」

沒有說出口的是，我想告訴麻清栩，他一直都在我的身邊。

他在我的心底扎了根，無論是低潮還是難過，只要想起他，就會有往前邁進的動力。

「我現在眞的很想把方仰德剁成肉泥——當初他肯定沒有承認，是他打了阿姨吧？」

「你連這樣都猜得到啊。他是沒有承認，不過我在家裡的客廳裝了連我媽都不知道的監視器。」

會這麼做的原因，是方仰德最初接受審判時，透過律師辯稱是我先勾引他，之後反悔就對他施暴。他的所作所爲，只是自我防衛。

若非麻清栩的媽媽有將當晚我打給她的求救電話錄下來，不然法官可能眞的會信了那人渣的鬼話，對他輕判。

「或許是我太偏執了，有了那次的經驗，我眞的……眞的無法放心，於是早早就安裝了監視器，藏在客廳的角落。錄像只會存放七天，七天後就會洗掉。」

麻清栩安慰：「這哪能怪妳？都是那爛人搞出來的。」

「而在我要提取方仰德打我媽的片段時，我看到了她平時的日常生活。」

那時候我筋疲力盡地坐在電腦前，準備擷取影像，我看著我媽獨自一人的生活畫面，一時間湧上了情緒，眼淚就流下來。

「我媽眞的……眞的是太孤單了。」

她用孤獨不斷不斷地凌遲自己，不停不停地懲罰自己。日復一日，上班下班，表情木然，沒有任何笑容……好像生病了一樣。

「所以我很希望，她這輩子能夠找到一個，可以好好愛她，陪伴她走過餘生的伴侶。」

而我盼望的，曾經不知何時會等到的「那天」，就是今天。這樣，我也可以放心了。

俗話說得好，屋漏偏逢連夜雨，人只要衰，就會遇到更多的衰事。

我媽的事情還沒處理好，就接到房東先生打來的電話。說我們公寓頂層的水塔漏水，水洩到了樓下，把五樓住戶黃小姐新買的家具全部又泡壞了。

之前是豪大雨，現在是水塔漏水，不得不說，黃小姐今年大概犯水災，注定淹到爆。

「上次妳說星期五給我答覆，如今遇到這件事，就算妳不想搬出去，我也只能半強迫妳離開了。抱歉啊，我是眞的沒辦法，整間公寓都被水淹得亂七八糟的，還有壁癌，再不處理就糟糕了。」

房東先生的語氣很低迷，應該是被黃小姐吵到一個頭兩個大。

我嘆了一口氣，說：「我知道你的意思，我人在南部，晚上回去就會先把一些重要物品搬走。」

唉，最近也不知道是怎麼回事，一直要請假不說，還被強迫搬家。雖然我能理解房東先生的苦，但我也苦啊，我根本就還沒找到下一間房子，不知道今後能住在哪……

「好好好，那妳快點回來，我盡早把押金退給妳啊。」得到我的答覆，房東先生非常高興，隨後說還要聯繫其他人就掛斷了電話。

我握著手機，翻了一個白眼。

一旁的麻清栩則靠過來，「怎麼回事？是工作上的事嗎？妳不是請假了？」

「不是工作上的事。」我有點猶豫要不要告訴麻清栩。

「那是什麼事？」

麻清栩什麼都好，唯一的缺點是他太喜歡打破砂鍋問到底了，完全吃定我找不出藉口，只能硬著頭皮分享我與房東先生交談的內容。

他聽完後，遲疑片刻才提議：「唔，那我幫妳一起找房子好嗎？找地段好、距離妳上班地點近的。」

這些話完全出乎我的意料，我還以為他會邀請我住進他家，跟他同居呢。

「不、不用啦，我自己找就好了。」

「怎麼會不用？既然我知道了，我這個做男朋友的，當然要幫妳解決問題。」

我猶豫片刻，最後忍不住問：「那個，你怎麼沒有要我搬去你家啊？當然不是說我有多想搬到你家啦，我就是——」

「什麼啦，我是很想妳搬到我家，不過我擔心妳會不高興啊。畢竟我們才剛交往，如果馬上邀妳同居，怕妳會認為我不尊重妳。」

「哦……我才不會這麼認爲。」雖然以我的角度還是會認爲現在同居，以進度來說是有點太快了。但這不代表我不想跟他朝夕相處呀。「我覺得我們已經浪費太多時間，不想再蹉跎下去了。」

經過這兩天，我深刻體會到，會和麻清栩錯過這麼多年，是因爲我們太老實、太木訥，只會把苦和痛往肚子裡吞。

不懂得撒嬌、傾訴和求助，一個人硬扛著所有的難，以爲這就是爲了對方好。實際上，是我們太自大了。好與不好，都是在分享過後，由對方說得算。

「妳的意思是，願意跟我同居？」

看著一臉雀躍的麻清栩，我沒有過多的矜持，對著他點點頭，「我想我們的工作都那——唔！」我話還沒說完，就被麻清栩緊緊抱住。

他興高采烈地說：「等確定阿姨沒事，我們就北上，然後把妳的東西全部都搬搬搬搬到我家去，這樣好不好？」

「好。」我原本想說不需要這麼急，可轉念一想，好像再不急，房東先生的頭就要徹底禿了。

「搬家後，我絕對不會欺負妳，什麼事情都妳作主，我當妳的小弟！聽妳使喚！」

果然高興過頭的麻清栩總是嘰嘰喳喳，理論還非常奇怪。

「我才不需要你當我小弟呢。」

「那當什麼？」

「當我的男朋友呀。只要你對我好，我也會一直一直一直對你好。」

就算我們不再維持單純的朋友關係，多了一點曖昧、依戀和纏綿，我也有信心能永遠陪伴他。

我知道，我不是公主，不會有騎士守護和王子的追求。但不是公主的我，願意花一輩子的時間，化身爲騎士，守護他的笑容。

他是我的大男孩，是我最喜歡的麻清栩。

第十章　你是我的幸運

我和麻清栩再度回到病房時，老媽與周叔叔已經談完了。看他們的樣子，應該是沒談崩，但表情和互動很微妙，宛如情竇初開的少男少女，比我們還要純情害羞，空氣中也散播著一股甜甜蜜蜜的氣息。

「媽，妳趁我不在，偷吃糖了是不是？」

「什麼糖？我才沒有吃糖。」

「妳既然沒吃糖，那爲什麼會有甜膩的味道？」

聞言，我媽忘了矜持，在周叔叔面前翻了大大的白眼，「妳不要藉機調侃我！我、我們還沒有到妳想的那樣。」

「當然，我想的是妳爲我找了一個脾氣好的爸爸，但妳現在斷了一隻手，人還躺在這裡，不可能去戶政事務所辦結婚登記。」

我媽被我驚世駭俗的言論嚇了一大跳，愣了好幾分鐘都說不出話來。

我心中也有些忐忑，本來是想當神助攻，現在又怕說得太超過，反而影響他們之間的感情。

不過，就在我想再說點什麼打圓場前，我聽到周叔叔說：「雖然我目前還在追求妳媽媽，可是我一定會努力朝妳期盼的目標邁進。無論是當個好丈夫，還是當個好爸爸，都將是我未來想好好扮演的角色。請妳放心，我會對妳媽媽好的。」周叔叔的表情很堅定，感覺抱持了很大的決心。

我張開嘴，停頓了幾秒，才吐出藏在心中的話：「那我就……暫時把我媽託付給你了。如果你對她不好，我隨時都會回來把你趕走，不讓你再接近她。」

周叔叔沒被我的恐嚇嚇到，非常誠懇地用力點了點頭。

看他們這樣，我的感受有些複雜，但其中最大的部分仍是欣慰。

麻清栩輕摟我的肩，我抿了抿脣，漸漸露出微笑。

❀

去年六月中旬，我收到矯正署發送的信函。信函中說，方仰德在監獄服刑時，意外發現他得了胰臟癌。

不知是幸還是不幸，因爲胰臟癌是不易察覺的癌症，一般人發現罹癌多半已進展到晚期，偏偏方仰德發現得早，監獄報請法務部許可保外醫治，矯正署詢問我是否要替他具保，因爲在獄中無法進行任何的癌症治療。

開什麼玩笑？我費了千辛萬苦，才再度把這垃圾丟回他該去的地方，心裡恨不得他死，怎麼可能會因爲他生病，把人保出來？

於是當時我拒絕這項提議，並聲明讓矯正署看著辦，反正我不會管他的死活。

如今，我見我媽梅開二度，即將獲得一個誠懇善良的男朋友，才突然有了想見方仰德一面的想法。

從周叔叔那得到會照顧好我媽的保證後，我與厤清栩才稍微放心，準備北上處理搬家的瑣事。

前往高鐵站的途中，我決定去監獄會見方仰德。

說起來也可笑，我最像方仰德的地方，大概是心胸狹隘——我想看他活得悲慘，也想看他憤怒、抓狂與暴躁，再怎麼抵抗仍無處可逃，只能在監獄虛度光陰，當一縷不怎麼無辜的孤魂。

「妳眞的要見他？」在監所人員辦理會面手續的期間，厤清栩擔憂地問。

「嗯。雖然看到他就噁心，可是我想與他做個了斷。」

然而等我眞正見到方仰德，看他骨瘦如柴、雙眼瞪大的模樣，我的情緒比想像中平靜。

他激動地抓著聽筒，顚三倒四地說著我聽不懂的話。

我輕輕呼出一口氣，隨後又覺得想笑。

「我、我生病了，妳快把我帶出去！方、方可緋，我是妳爸爸……妳不能不管我……我知道錯了，眞的！我知道錯了，妳快帶我出去，這裡根本不能住人……他們都打我一個，我快活不下去了……」方仰德一邊說，一邊窩囊地流著眼淚。

我不顧他說的任何話，面無表情地闡述：「這是我第一次，也是最後一次來看你。縱使我流著你的血，我也永遠不會承認我與你有任何關係。」

方仰德的雙唇抖動，大聲哀號：「我是妳爸！我是妳爸！」

「我來只是想要告訴你，我和媽媽過得很好，都找到屬於我們的幸福。少了你，我們的人生更完整了。」這個人帶給我太多傷害，是我揮之不去的陰霾，「你才不是我爸，對我來說，你只是一個強姦犯。」

說完，我緩緩站起身，最後一次望向方仰德。想再說點什麼，最後只將言語埋葬在沉默中。

在他聲嘶力竭的吼叫聲中，我離開了會見刑犯的小房間。

一步一步，往前邁進。

「談完了嗎？」麻清栩站在走廊邊，一臉關切地看著我。

望著麻清栩，我的思緒遠颺，依稀想起當年，方仰德因強暴未遂被羈押，開庭準備接受審判的那天。

那時，他與他的律師以我沒有影像證據爲由，把罪責推到我的身上。我雖然憤怒，可嘴巴太笨，連反駁都做不到，只能聽他們顚倒是非，氣得我差點心臟病發。

關鍵時刻，是麻清栩的媽媽提供的求救錄音拯救了我，庭上的攻防情勢瞬間逆轉。

最終，法官重判了方仰德，將他關進大牢。

得到這樣判決的我並沒有比較高興，反而思緒紊亂煩躁，不等律師仍在遞交文件，獨自垂頭走出法庭。因爲我完全沒有看路，直接撞到待在門外當護國神柱的麻清栩。

麻清栩的眼神充滿焦急，一見到我就問：「妳還好嗎？那王八蛋有沒有再說什麼？」

原本想在他面前表現鎭定的一面，但一開口，滿滿的鼻音洩漏我的害怕與委屈，眼淚滴滴答答地從臉頰滑落。

他被我嚇了一大跳，手足無措，不停繞著我轉，不知該說什麼安慰的話。

「妳不要再哭了啊，再哭下去，妳的眼睛都要腫得跟核桃一樣了。」

「我才沒有哭！」

「好好好，妳沒哭妳沒哭，那妳臉頰怎麼這麼溼啊？難道是汗？」

「你好煩，管我臉頰溼不溼！還有，不是讓你別來，你還硬跑來湊熱鬧。這裡是法院，又不是什麼好玩的地方，你專程跑一趟很麻煩的……」我是眞的不想麻煩他，他已經幫我夠多了。

「我關心妳啊，沒想到妳脾氣壞得要命，關心妳還要被妳兇。」他露出無辜的表情。

「那你至少也帶個衛生紙吧？這樣我臉頰溼了，還有東西擦啊……」我抹了抹紅腫的眼睛，哽咽道。

「衛生紙？妳要衛生紙是嗎？我、我身上的確沒有，現在就去廁所拿。妳在這裡不要動，我去去就回。」

「要拿多一點啊。」

「好啦好啦……」

想起來麻清栩眞是笨拙得要命。

偏偏，我就喜歡他的笨拙。

十多年過去，那個笨拙的男孩搖身一變，成爲就要三十歲的成熟男人，但在安慰人這方面的技能，依舊傻得很。

「妳是不是又想哭了？我、我有買衛生紙，妳盡情哭，我幫妳遮住！」他手裡拿著不知從哪來的一大包抽取式衛生紙，模樣很蜨。

「我才不會哭！一點都不想哭！」

「哦，那就好，我想妳這兩天實在哭太多了，再哭下去會缺水。」

我被麻清栩氣笑，「謝謝你哦！我現在好得很，水分很充足，你不必擔心我。」

「我當然要擔心啊，妳是我的女朋友耶。」他總是能讓我上一秒很生氣，下一秒瞬間氣消，「親愛的女朋友，我們可以去搭車了嗎？再晚妳的房東就要哭暈在廁所了。」

「可以，我們馬上出發吧！」

我已啓程。

那些壞的、不好的，都在時間的消磨下，漸漸淡去。

接下來的路，我只想與自己喜歡的人，攜手走下去。

✿

回到北部，我快速收拾好租屋處的行李，搬進麻清栩位於市中心的高級公寓，開始了與他的同居生活。

他跟我坦白，自己的事業剛起步，根本無法以市價買下這間公寓，是他姊夫半買半相送，以極低的價格賣給他，讓他能負擔貸款。

我八卦地詢問他姊夫到底賺了多少錢，得到一個完全無法估量的天文數字，腦袋瞬間當機，不由得佩服小澄姊擇偶的眼光。挑老公就像買股票，小澄姊能在婚配股市中殺出一片血路，可謂是頂天立地的強者。

「不過我姊夫向來很低調，不輕易展現他的財力。」

「再怎麼低調也是霸道總裁，光是那個氣場，就讓人難以忽視。」也只有小澄姊待在他旁邊能神色自如，完全不受影響。

「是嗎？姊夫可能是愛屋及烏吧，我覺得姊夫人很好，一點都不兇——不對，他在準備投資我籌辦的工作室前，做了很多考察，還逼我寫一堆說明報告，那時候被他搞得壓力超大的，恨不得用頭撞豆腐。」

「有人願意督促你就該偷笑了好嗎！更何況，他可是金主爸爸，寫幾份報告而已，還這麼多意見。」

麻清栩一臉不服氣，「下次妳來寫寫看！姊夫的標準超高，我寫什麼都會被罵，到最後是被他按著頭寫完所有企劃。」

我不想跟他多廢話，繼續低頭收拾行李。他湊過來想幫忙，被我一手揮到一邊去，「你好像很閒？難道不需要處理工作上的事嗎？」

「喂，妳也太斯巴達了吧？今天是週末，星期天耶！妳還要我去工作？」

「當然啊！你除了是工作室的老闆，還是『心燦』APP的研發者，發生了那麼大的事件，你不著急處理？有沒有一點危機意識！」

大前天，麻清栩來找我的那晚，他的臉色之所以會那麼蒼白憔悴，是因爲心燦APP的租賃男友機制出現嚴重糾紛，甚至鬧上了警察局，受害者揚言要提告。

「我的大小姐，妳不能看我現在沒處理，就認爲我不負責任啊。那些事情我已經處理了兩三天，也從中調解和協助，盡可能不讓受害者的權益受損。但是，就我們工作室的立場來看，其實客戶的問題也很大，她完全不遵守遊戲規則，才會被騙了好幾十萬。」

糾紛起因於某一位三十八歲的陳小姐，爲了應付不斷催婚的父母，花了三千元在心燦租了一位假男友曹先生，要求曹先生陪自己回老家吃一頓飯，讓她的父母能安心，知道她是有對象，不是沒有人要。

約定那天，曹先生盛裝出席，態度更是溫文儒雅，深獲陳小姐父母的喜愛，恨不得當場就爲女兒訂婚。

而曹先生還莫名其妙成爲了偷心賊，擄獲了陳小姐的心。

本該清楚一切只是一場服務的陳小姐徹底暈船，不顧心燦制訂的保護條款，找徵信社調查曹先生的私人電話與居住地址。最初假裝偶遇，後來直接不演了，對曹先生展開熱烈追求，希望曹先生能接受她的情感，成爲她眞正的男朋友。

原先曹先生被陳小姐脫序的行爲嚇得連家都不敢回，但時間一長，他發現陳小姐除了會送他一大堆東西和瘋狂告白外，也沒有做出更脫序的行爲，他竟反過來吊著陳小姐，運用話術使對方心甘情願地交上存款。

陳小姐對曹先生痴心不悔，哪怕知道曹先生已經有交往對象，仍願意當他的備胎。但她的父母毫不知情，高高興興地認爲即將有個完美無缺的好女婿。

而夜路走多了，還是會碰到鬼。陳母偶然在路上目睹了曹先生與女友摟摟抱抱，一氣之下衝到他們面前，一邊大罵「狗男女」，一邊痛毆兩人。

後來警察趕到現場，把人全部帶回警局釐清事件經過。

陳小姐接到警察的電話，隨陳父抵達警局，在連番逼問下，承認她爲了能當曹先生的正牌女友，前前後後的禮品花了四十多萬，還不算她準備的二十萬現金。

陳母當場傻了，什麼話都說不出口，只能瞠目結舌地看著女兒。

陳父則氣到高血壓發作，人直接昏了過去，送往醫院急診。

「結果那個人後來有醒悟嗎？」

「醒悟？妳說的是陳小姐？我也不知道她現在清醒了沒，但一切都是她自願，明明保護規則定在那，她偏要打破，自己送錢給渣男。她的行爲使工作室的處境變得很爲難，週三我接到法務打來的電話時，都傻眼了，完全沒料到他們在背地裡還能搞出這種事。雖然按法務的判斷，我們沒有任何罪責，不過要是應對得不好，肯定會被輿論淹沒，給心燦帶來更大的傷害。所以啊，我只能親上火線，在還沒傳給記者知道前，與法務一起和曹先生商談，讓他吐出一部分收取的現金。」

「你們怎麼讓他吐錢的啊？」

「每一個來應聘的人都有與工作室簽約，合約裡明文規定，不能夠收取顧客的禮品，私下也不得有任何金錢往來，無論是眼前的客戶，還是過去的都不行。倘若違約，就必須支付高額的賠償金。」

我噘起嘴，心有餘悸，「好險你們事前有做好準備。」

麻清栩陪我坐在地板，無奈地說：「可事實證明，規範只能約束君子，不能防範小人。經過這一次，內部人員都有點怕了，擔心未來會有更多層出不窮的糾紛。」

「是啊，我也這麼認爲。」租男友的服務是很新穎，但人心難料，總會發生匪夷所思的意外。這次是麻清栩與法務應對得宜，沒有鬧到媒體那，不然加上媒體的渲染，眞相又會被扭曲。

「你記得我也有租過男友吧？」

「我當然記得啊！那時候妳一直躲我，恨不得跟我切斷所有的聯繫。」

「什麼呀，我才沒有……」

麻清栩轉過頭，對著我冷笑，顯然不相信我的辯解。

「等等，我跟你講這個的重點不是要讓你翻舊帳，是要跟你分享，我爲什麼會選擇租男友。」

「哦，爲什麼？」聽這語氣，他大概還想把之前的帳一起翻一翻。

不過要是繼續跟他較眞，那我就太蠢了，畢竟我之前做的事，實在很不値得一提，簡稱兩個字：欠扁。

「我會知道租男友，是我有個同事她之前租過……」爲了將功贖罪，我對麻清栩闡述張芝安遇到的掉包事件，最後補充自己的看法：「所以我覺得租男友的服務還是在沒有釀出更大問題前取消，不管是對你，還是對心燦都好。」

「我知道這樣是比較好，但這畢竟是心燦不同於其他交友APP的地方，突然要取消，我覺得——」

「我覺得很好！」打斷麻清栩自我質疑的話，我對他充滿信心，「你那麼有才華，還怕想不出更好的替代方案嗎？」

「妳今天吃錯藥嗎？竟然會說我很有才華。」

「我一直都認爲你很有才華，只是太嫉妒你了，就不想誇獎你。」我是喜歡他，不代表我對他不會有負面的情緒。看他變得越來越好，我會有一種自己始終在原地踏步的焦慮，我應該要變得更好，才能跟上他的腳步。

「話說，我最近準備辭職，換一個工作來做。」

「爲什麼要辭職？不是做得好好的嗎？」

倘若我們還沒交往，我不會跟他說我要辭職的事，但現在我們的關係不同，已經能大方說出我面臨的狀況。「唔，因爲我們公司的高層大風吹，原本工程師不需要外派，如今變得都要考慮外派這個選項。我不想去，只想待在國內，所以有可能被針對，與其被針對，不如換一間公司。」

「那妳找到工作了嗎？」

「還沒啊，哪有這麼快。最近要做的決定太多了，我媽和搬家的事讓我焦頭爛額。我打算明天到公司再向主管提辭呈。」

聞言，麻清栩興致勃勃地鼓吹：「那妳想不想來工作室上班？工作室的福利超級好，其他公司有的我們全都有！更重要的是，老闆長得超級超級帥，是妳會喜歡的那種。」

麻清栩自吹自擂的功力眞是越來越厲害了，我嘴角抽動地反問：「你說說看，你們工作室的老闆是誰？」

「是我啊。」他眼睛閃亮亮，湊過來討拍，「妳難道不喜歡嗎？妳應該很喜歡的才對呀。」

就算他說的都是事實，我也不想承認。

「這位先生，你正經一點，不要動不動就把話題帶偏！」

「我很正經啊，又沒有不正經。」

「你既然很正經，幹麼要邀我去你工作室上班？我一個半導體工程師去你那能做什麼？」

更不用說情侶在同一間公司上班，很可能變成核彈等級的災難。在家什麼事都可以吵，還需要多加一個修羅場嗎？

「妳能做的事情很多啊！我也是讀電機，怎麼會不知道妳能做什麼？再說了，妳既然要轉換工作跑道，就徹底一點嘛！整天蹲在科技公司加班，肝都要硬化了吧？」

「那也……」我知道他是爲我好，也很清楚若繼續在科技業混下去，依照我拚命三郎的個性，身體遲早會垮。

老天爺好不容易可憐我一次，讓我美夢成眞得到了麻清栩，那我就該長命百歲，努力把這份幸運展延到極限。

「好不好嘛！妳來工作室上班，我會給妳很高的薪水和非常優渥的待遇喔！要是妳不想做了，想離職，我絕對不糾纏妳，放妳去開展新的領域。」

男人的嘴，騙人的鬼。用腳想都知道，倘若有那天，他肯定一哭二鬧三上吊，完美展現出他身爲巨嬰的人格特質。

不過他現在也離巨嬰不遠了，無論我如何拒絕，他都有辦法盧到我答應。

於是我只能嘆口氣，說：「有老闆像你這樣的嗎……不用什麼很高的薪水和優渥的待遇，跟其他人一樣就好了。」

「眞的？妳願意來嗎？」

「不然呢？如果是假的，你會放過我？」

麻清栩得了便宜還賣乖，「什麼放過不放過？我人這麼好，當然百分之百尊重妳做的每個決定。不過妳若反悔了，我可能會有點傷心。」

假如麻清栩是個女的，我一定會授予「綠茶婊」的稱呼。

「你也太誇張了。」我認識他實在太久，忍不住直接打了他一下，「不要再說一些有的沒的，快點想我去你工作室要做什麼。」

「依照妳的聰明才智，我認爲妳什麼都可以做。不過我怕這樣回答妳，我又會被打，不然妳願不願意來當我們的軟體工程師？記得妳讀大學的時候，還跑去資工系雙主修？考了一堆奇奇怪怪的證照？」

「拜託，畢業那麼久了，就算我有證照，沒實戰過，相關知識全部都還給學校老師了。」

「妳會不會有點太小看自己了？我認識的方可緋根本是移動式的人體計算機，學習技能滿點，只要她學過的，沒有她不會的。而且，不會就學啊，工作室還有其他軟體工程師，只要妳願意，互相討論切磋，都會讓妳有實質上的飛越。」

「……你對我，這麼有信心啊？」什麼移動式人體計算機、學習技能滿點之類的溢美之詞，似乎不太適合套在我身上。

麻清栩雙眼直視著我，沉默片刻後，突然「噗哧」一笑。

我不懂他在笑什麼，推了他肩膀，問：「你笑什麼笑？」

「妳以爲就妳會嫉妒啊？其實我也很嫉妒妳，妳明明外表那麼瘦小，卻比很多人——包括我，都要來得強大、可靠和堅韌。學生時期，無論妳家裡發生多少事，擔負了多少壓力，妳在課業方面從來沒有落下，書卷獎拿到手軟。畢業出社會，妳靠著自己的努力賺取醫藥費，使阿姨能痊癒，改變原先困頓的生活……這些我可能都做不到，也是讓我非常非常佩服妳的地方。」

聽著麻清栩說的話，我總覺得他是在講另一個人，但是他緊緊牽著我的手不放，彷彿在給我認可自己的信心。

「就是因爲妳太好了，才會給我不斷向前衝刺的動力。」

原來不知不覺中，我們都把彼此當成仿效的目標，逐漸朝對方靠攏。

「所以啊，方可緋，這一次我們就一起努力，好不好？」

❀

能夠與喜歡的人共同開創未來，是一件非常幸福和幸運的事。

去年的我，絕對不會相信自己會在短短的一年中，交到了男朋友、搬離居住將近十年的套房，和向主管老宋請辭相對穩定的工作。

因爲有麻清栩，我選擇開始冒險。

仔細想來，過去我做過的挑戰，都與麻清栩有關，他好像就是命中注定帶給我勇氣的人。

「我沒想到妳眞的要辭職，而且還交接得這麼快。」

一轉眼，距離我向老宋遞出辭呈已過了一個月。

期間，人事主管招募了新的半導體工程師，叫李曉甜。她與張芝安一樣，是個熱愛八卦，在工作上認眞負責、努力完成業務的女孩，我已把手上的工作逐步交付給她，完成交接。

正式離開公司的那天，一向開朗樂觀的張芝安哭紅了雙眼，拉著我的手，反覆說著她捨不得我。

「要不然，我也跟著妳走吧……」

「喂，有沒有這麼誇張？」

「有這麼誇張……妳走了，我跟誰八卦？」沒想到張芝安捨不得我的原因，竟然是沒人跟她瞎扯淡。

我啼笑皆非，指著一旁的李曉甜，「妳能跟李曉甜八卦啊！她也很能聊，妳們都是張開嘴就不會停的類型。」

張芝安依舊噘著嘴看著我，低聲地說：「不一樣……我進公司，就是妳帶著我，現在妳走了，我突然就很沒有安全感，變成前輩，要負責的東西好多……」

「就是因爲我帶過妳，我知道妳一定可以的。」說完這句話，我也有點捨不得，只能強忍眼鼻間的酸意，「更何況妳上面還有老宋，就算天花板垮了，他也會舉起雙手替你們扛著。」

「妳走了之後，不知道老宋頭頂上的毛囊是否還能健在，他原本就有點禿頭，將來恐怕只會更嚴重吧。」

我正想笑，就看見神出鬼沒的老宋突然從張芝安身後飄出來，「謝謝張小姐的關心，我頭上的毛囊好得很。」

張芝安嚇了一跳，立即露出尷尬又不失禮貌的微笑，「組長好……呵呵……」

「妳不是叫老宋叫得很高興嗎？」

面對老宋的質問，張芝安只能繼續乾笑，似乎想挖個洞把自己埋了。

好在老宋不是個會計較稱謂的主管，他看向我，問：「東西都收好了吧？要是有忘記帶的，就讓張芝安寄給妳。」

「嗯，我回家會再檢查一次。」

「眞沒想到妳會比我早一步離開公司。我不會跟妳說挽留的話，因爲我相信妳是經過考量，才做出這個決定。今後大家各自努力，希望都能過上更好的生活。」老宋見過大風大浪，自然不會像張芝安那樣哭哭啼啼。嘴巴說的雖然都是漂亮的場面話，可我知道，這些都是發自他的眞心。

「謝謝你尊重我的決定。」因爲不想外派而選擇辭職的，我大概是第一人，但我不後悔，更不想蹉跎時光。

「眞的不需要我們替妳開餞別宴?」

「不用不用！大家今天難得可以提早下班，就不要在我身上浪費時間，趕快回家陪家人吧。」說起來也可悲，我們這些科技業的上班族，待在公司陪同事的時間，是陪家人的兩倍到三倍。

老宋笑了笑，「那我要先回家啦。今天我女兒也不用上才藝課，說不定我們全家能湊齊吃頓晚餐。」

「好，再見了，謝謝你多年來的照顧。」如同我之於張芝安的角色，老宋對於我來說，也是我在這間公司的老師。未來要相見可能不太容易，所以更要趁早把感謝說出口，不留下遺憾。

「再見。」老宋瀟灑地用揮手回應我，隨後拿起公事包，轉身離開。

我轉過頭，再度看向默默哭泣，近乎淚流滿面的張芝安，伸出手給她一個擁抱。

「我也要走啦。」畢竟融洽相處了多年，輕易離別眞的不太容易，「張芝安，工作上我已經沒有什麼好指導妳了。不過，在感情上，妳一定要記得先愛自己，再愛別人，妳絕對是個值得被愛的女孩，不需要委曲求全，選擇心中所嚮往的就好。」

這個月我沒有再詢問她關於陳季陶的事。我知道，縱使未來有什麼變化，心智與年齡逐漸長大的張芝安，也能夠處理得非常好。

「嗯……我會的。」她吸了吸鼻子，放開我的那一刻，對著我大聲說：「方可緋！妳也要過得超級無敵幸福哦！因爲妳是全世界，最最最最最好的人！」

幸福是什麼？

腦海中突然浮現我與麻清栩這個月同居時的各種情景。

兩個來自不同家庭的人，剛開始同居肯定是會吵架的，縱使我們認識多年，很熟悉彼此的習性，還是什麼都能吵。包括但不限於：衣服怎麼洗、牙膏買什麼牌子、拖鞋如何擺、睡覺該以什麼樣的姿勢，還有睡前要看哪部電視劇……

隨便的瑣事都能讓我們拌嘴，明明有時候很生氣，吵到最後卻像是在調情，光是看著對方，就忍不住想哈哈大笑。

眞要算實質意義上的「吵架」，應該只有麻清栩發現鍾子鳴還跟我有聯絡的那一次。

當時他忿忿不滿地瞇起眼睛，一副我給他戴綠帽的樣子，恨不得將目光變成雷射光束，射穿我的手機。

我覺得他很煩，伸手推了他的臉，要他滾去旁邊玩沙，說我會處理好。

他滾了幾分鐘，又滾回到我的身邊，問：「他爲什麼還在約妳出門？妳不是跟他說妳有一個俊美的男朋友了嗎？」

「我什麼時候有一個俊美的男朋友？」

麻清栩瞪大眼睛，不敢置信，「我啊！我就是那個俊美的男朋友。難道到現在，妳都沒有在他面前爲我正名身分？」

「我只覺得你是一個俊美的『小』朋友，幼稚得要命！我們又沒說什麼，你幹麼這麼緊張？」

「我怎麼能不緊張？妳跟一個帥哥談得這麼高興，我有危機意識是正常的吧？難不成我還要爲妳拍拍手，說你們繼續聯絡很棒？」

我把手機放下，同樣以他制訂的標準來要求他：「那請問，是誰上個禮拜下班，還跟葉凱娣一起聚餐的？」

葉凱娣同樣在麻清栩的工作室上班，職位是公關主任。

「那不一樣啊，我們是員工聚餐，一共有六個人一起，全程我也沒喝酒，意識清楚得很。簡伯亞也在裡面，他難道沒跟妳這老闆娘報告嗎？」

好吧，我必須承認，簡伯亞有跟我報告這件事，並且以性命擔保，麻清栩與葉凱娣完全沒有任何曖昧，兩個人隔了三四個座位，非常潔身自愛。

於是我有點心虛，表面上卻仍仰起頭強調：「反正！如同你跟葉凱娣清清白白，我跟鍾子鳴也乾乾淨淨，完全沒什麼。」

「我知道妳對他沒什麼，但他對妳有什麼呀。」

雖然我認爲麻清栩說得很有道理，可是我不能輸，輸了在將來就會被碎念到死。

「我們只是朋友！朋友好嗎？你爲什麼不能多信任我一點？就算他對我有什麼，只要我對他沒意思，不就好了？」

在我把爭執上升到信任問題後，麻清栩就不說話了。他輕飄飄地看了我一眼，隨後站起身，走出房門，留我一個人在臥房裡錯愕。

我不禁反思，開始覺得麻清栩的反應也情有可原，畢竟鍾子鳴各個方面來說都太優秀，是男人都會有危機意識。

但我點開與鍾子鳴的對話框，看著我們之間的對談——

「我知道妳已經和麻清栩交往了，不過，如果可以的話，我想再約妳見面一次。我想完完整整地向妳介紹我自己，也想正式與妳告白。不知道妳願不願意給我這個機會？」

「還是不要好了。最近我回想自己上大學的時候，零星的記憶中，似乎有你的光臨。但我們終究只是彼此生命中的過客，相遇時能夠點頭，卻不需要交談。很抱歉我還是食言了，無法答應你三個要求，請你也不要再留念，把你的心打開，說不定有眞正愛護你的人，就在你的身邊陪伴著。」

就這兩則充滿心靈雞湯的訊息，我根本不認爲會有什麼問題。之後鍾子鳴也沒說什麼，單純回了一句「我知道了」，算是爲我們奇妙的緣分劃下句點。

心裡惦記著麻清栩，乾坐了幾分鐘，我起身走出臥室想看他在做什麼。結果一出房門，就聞到濃郁撲鼻的食物香氣。麻清栩站在廚房，拿著鍋鏟翻炒我喜歡吃的蝦仁蛋炒飯。

我走到他的身後，他不理睬我。

「阿栩。」我知道他沒有眞的生氣，否則也不會在這邊炒飯。

「……幹麼?」就算生氣，我叫他的時候，他還是會回應我。

「對不起嘛。」一邊說，我一邊伸手摟抱他的腰，把頭靠著他的後背。

「妳不是說跟鍾子鳴沒關係嗎?有什麼好對不起我的。」

「我不是在說鍾子鳴，是在爲我剛才認爲你不信任我而道歉。你最信任我啦，反應會這麼大，是因爲你太喜歡我了才這樣。」

麻清栩垂著頭，悶聲不語，把炒飯裝到盤子裡。又過了一會，他才說：「妳知道就好。雖然我也有錯，但關於吃醋這件事，我可能永遠都不會改，所以就不跟妳道歉了。」

我聽他一本正經說幹話，忍不住笑了，故意裝可愛道：「你怎麼這麼小肚肚雞腸？氣量太小了吧。」

「因爲妳太好了，我必須把妳看緊一點，以防有其他伯樂來跟我搶。」說著說著，他放下鍋鏟，轉身把我抱住。

感受到他的體溫，還有他穩定的呼吸與心跳，我整個人漸漸放鬆下來。

「喂，麻清栩。」

「嗯？」

「我也不喜歡你跟葉凱娣靠太近。」

「噗。」

「笑什麼笑？你要跟她保持距離才行，不要嘻嘻哈哈的。」我對葉凱娣靠近他有很大的陰影。

「好好好，妳說什麼就是什麼，談公事的時候，我都跟她保持三公尺距離，嚴格防範好嗎？」

「被你這樣一說，顯得我的氣量跟你一樣，都是小肚肚雞腸。」

「這樣多好，妳是母雞，我是公雞，才能夠同種生物有性繁殖。」

麻清栩的黃色廢料讓我哭笑不得，只能捏了他後腰的肉，忿忿地說：「誰跟你有性繁殖，你自己去孵雞蛋啦！我要來吃炒飯了。」

麻清栩不怕痛，還高興地哈哈大笑，把我抱起來在不算狹窄的廚房轉了一圈。

我雖然覺得他有病，但嘴角依舊很誠實地上揚，連眼睛都笑得彎彎的。

我想，我的幸福，只能是麻清栩這個人。他是我的英雄，也是我的王子。

過去十幾年，我們不斷朝對方靠攏，試圖靠近一點、曖昧一些，希望能把握住戀愛的機會。

我看著他明亮的眼睛，低下頭，在他的唇瓣上輕啄了一下。

「麻清栩，遇到你，是我最大的幸運。」

縱使曾經錯過，緣分終究使我們再次重逢。

他在我的生命中，綻放出一朵朵的桃花，從此花開不謝。

全文完

番外

星空不及你璀璨

人啊，只要一忙起來，就會漸漸忘記周遭的季節變化。

我從原先製作半導體的中小型公司，轉職到麻清栩創立的，製作「心燦」交友APP的工作室，不知不覺已經過去一年多了。

環境不同，工作內容也有極大的差異，或多或少都會感到不適應，好在同事們都很好，麻清栩也會在我徬徨猶豫時，給我些許建議，指引我新的方向。

「欸，妳覺得我穿這件參加妳媽的婚禮如何？有沒有很帥？」

某個夜晚，我與麻清栩正準備要睡覺，他不知道發什麼瘋，突然從床上爬起來，打開衣櫃拿出一套剪裁俐落的白色西裝。

我抬起頭，有些傻眼，「這位大哥，你是去觀禮，不是去當新郎。穿這件太誇張了，根本是企圖要搶走周叔叔的風采。」

麻清栩一臉惋惜地辯駁：「這也沒辦法，畢竟我長得帥，隨便穿穿都能有霸道總裁的氣勢。」

這個人怎麼可以自戀成這樣？要不是認識他十多年，早已習慣他的胡說八道，否則我眞想拿枕頭搥他。

「要不然換這套？」他轉過身，大發慈悲地把白色西裝放回去，再拿了一套深棕色的三件套西裝出來。

從襯衫、背心到西裝外套，帥是帥，但眞要穿這一套參加南部的婚禮，我看人不曬乾，都要中暑了。

「你夠了喔，六月的天氣，你這麼穿會熱死，不要折磨自己好嗎？」

「爲了帥，犧牲一點沒關係。」

「有關係！你那天是迎賓接待耶，萬一你倒了，找誰頂上？」

聞言，麻清栩才「嘖」的一聲，放棄穿三件套西裝出席婚禮的計劃。

「那我要穿什麼？去訂製一套夏天的西裝如何？我看——」

「不用看了！你衣櫃那麼多件西裝，我就不信找不到適合的。」麻清栩仗著自己身材好，買衣服從來不知道節制。相同款式會包不同色號來穿，每天都有新花樣，完全走在時尚尖端。

「這樣好像顯得我不太重視這場婚禮。」

「你這樣還不算重視的話，那我根本是漠視了吧？」我作爲親生女兒都沒像他如此熱衷。

「我們的身分不一樣啊！妳是女兒，我是女婿，女婿本來就要負責討丈母娘開心，讓她覺得很有面子。我想，明天眞的該去訂一套西裝。」

聽他「女婿、女婿」講得這麼溜，我很想問他我們什麼時候結婚了，讓他能以女婿自稱。可爲了不傷我家巨嬰的心，我選擇默許他的胡言亂語。

愛叫就叫吧，反正依照我們目前老夫老妻的生活形態，也很難離開彼此。

我跟麻清栩雖然只交往一年半，但因爲太過熟悉，一點羅曼蒂克和矜持都沒有，非常放得開，彼此都在做自己。

「明天你得跟簡伯亞去談一個案子，行程很滿，你忘了嗎？」

看麻清栩一臉訝異的表情，我就知道他是忘了。這個人！只想著玩，工作一點都不認眞！

「我覺得人嘛，要定期休息，不能一直衝衝衝，身體都不顧了吧？」

「……你去訂製服裝和參加我媽的結婚典禮，到底跟你的身體有什麼關係？」

「我去做這兩件事，心情會很好啊！只要心情好，身體就會好，妳看我多有邏輯。」麻清栩很有自己的一套詭辯邏輯，若認眞辯論起來，誰也辯不過他。

不過我不是要跟他辯論，我是直接下令：「你不要給我囉唆。現在是工作室的關鍵時期，你多談幾個客戶，我們的業績就會更好，這樣大家辛苦才有動力，更願意爲工作室努力。」

經過多次會議討論後，工作室決定將心燦APP中最有特色的租賃男友服務取消。因爲這個服務的立意雖好，卻隱藏太多問題，萬一有更嚴重的糾紛事件，工作室承擔的風險太大。

服務剛取消的時候，引起不少使用者批評，但麻清栩態度堅定，多次表態心燦必須轉型，所以不會再經營這類型的服務。於是可想而知，會員開始流失，下載量大幅減少。

爲了逆轉劣勢，大家又連續開了好幾次的會，試圖找出新的服務模式來吸引顧客。

在大家忙碌了半年後，心燦推出的現實媒介活動頗受歡迎。在網路上透過個人條件篩選的配對伴侶，能夠向工作人員申請陪同，於現實進行會面。

如果覺得一對一會尷尬，還能參加工作室不定期舉辦的「大型相見歡」，會有好幾對網路情侶一起見面玩遊戲，藉此瞭解對方眞實的性格，評估是否要繼續緣分。

工作室還會邀請參與者的父母們進行訪談。父母催婚，造成當事人壓力的同時，也是在反映自我的焦慮——想要爲孩子好，卻又擔心沒辦法一輩子陪伴著孩子，所以才期盼孩子找到能託付和攜手走向未來的人生伴侶。

「我看，大家現在是太有動力了，都比我還要認眞。」被我接二連三吐槽的麻清栩終於不再胡鬧，爬到床上，乖巧地躺在我的左側，「明天要去談的那家徵友社，從老闆到員工都很機車，我不想去。」

「哪裡機車了？人家是仔細把關細節。既然要共享客戶，就要達到對方的高標準啊。」除了自動下載心燦APP的客戶，工作室還跟幾家大型高級的徵婚社、徵友社合作，希望他們能運用心燦，更簡便地找到適合的對象。

麻清栩噘著嘴，還是不太高興。

我在心裡嘆了一口氣，伸手摸了摸他的側臉，哄道：「等你明天談完，我下午就請假跟你一起去訂製西裝？」

他是工作室的老闆，我可不是，要是沒去辦公室，得按正規程序請假才行。

「真的嗎？」原本頹喪的麻清栩瞬間兩眼發光，還得寸進尺地說：「那妳要不要也去訂一套小禮服？」

「我不用，訂製實在太麻煩了。」光想就頭痛。

「妳媽結婚這麼重要的日子，麻煩一點又不會怎麼樣。妳……該不會不想妳媽跟周叔叔結婚吧？」

「嗄？你想像力太豐富了吧，我才沒有這樣想呢。」

我媽本來就對周叔叔抱持好感，但有太多顧慮，讓她始終停滯不前。當她出車禍摔斷了手，周叔叔無微不至地細心照料，成功軟化了她的心防，接納了周叔叔的表白。

長輩的想法比較保守，認爲沒有結婚的戀愛關係都是在耍流氓，所以在他們交往一週年時，周叔叔向我媽求婚。

「就是有點……有點彆扭。」我側過頭，對麻清栩坦誠：「你也知道我的生父不是人，是禽獸。我一直都是與我媽相依爲命，她能獲得幸福，我是很高興啦，可相對的……我好像失去她了。」

麻清栩握住我的手，沒有對我說「媽媽永遠都愛妳」這種千篇一律的話。而且我當然知道我媽愛我，但人總會在某個時刻，產生無法言喻的情緒。

「她的生活不再只有我，我好像沒被她那麼需要了。」以前看電視劇，看到兒女對於母親再婚的劇烈反彈劇情，感到很不以爲然，想說哪有這麼嚴重？應該要祝福才對吧。

如今，我體會到祝福不難，難的是接納另一個人，介入我們緊密的關係中。

「……妳還記得，那天晚上嗎？就是妳在廁所，打電話給我媽求救的那晚。」

「記得。」想忘也忘不了。

「警察趕到後，我陪妳坐著救護車到醫院驗傷，診療的過程因爲妳要脫衣服，我在場不方便，就走到走廊。那個時候，我看見了妳媽。」

我蠕動雙脣，沒有說話，靜靜地聽著麻清栩敘述。

「妳媽可能是接到警察通知，匆匆忙忙跑到醫院。她披頭散髮的，整個人看起來很憔悴。我原本以爲她會立即進入診間，她卻在走廊的末端掩面痛哭了十多分鐘。」

「她大概是覺得……很對不起我。」

「是啊，一直以來，妳媽對妳恐怕充滿了負罪感，認爲妳的不幸是她造成的。縱使理智知道這一切是方仰德太渣，可她沒辦法抑制那種無能爲力的傷心。我想，方仰德坐牢的這些年，妳媽也在用另一種方式來懲罰自己。」

淚水從眼角流下，我把頭埋在麻清栩的懷裡，緊緊抓住他的衣角。

「我能明白妳的想法，但是我希望，妳們都可以過得比現在還要開心。多一個人愛她，不是很美好的事嗎？」

是很美好，這種美好，我們過去都不敢奢望。

麻清栩替我抹去眼淚，既溫柔又堅定地說：「我也會一直愛著妳，不會讓妳感到孤單的。」

這一路走來，太不容易，也太過幸運。

現在回想起方仰德，突然覺得他已經離我們很遙遠，遙遠到很模糊，終於能徹底解脫。

「喂，方可緋。」

我與麻清栩靜靜地摟著彼此，互相依偎。突然，他又張開嘴巴，破壞了靜謐和諧的氣氛。

「幹麼?」

「我覺得結婚挺好的,要不然,我們也來結婚?」

這傢伙,以爲結婚是去菜市場買菜,看別人拿的蘿蔔不錯,自己也要買一條?

「你這是在跟我求婚嗎?」我斜眼看他。

被我這麼一看,麻清栩意識到他剛才說出來的話,是嫌命太長,試圖挑戰我的極限。

他對著我乾笑,畏畏縮縮地解釋:「其、其實我們都是年輕人,應該不用刻意講求儀式感……吧?」

「吧你個頭!你不用躺著了,下床去給我爬!」氣得我人都醒了,只想狠狠敲他的頭。

麻清栩笑眯著眼睛,依舊緊緊摟著我撒嬌,「妳幹麼這麼生氣?我們是天生一對,早晚都要結婚——妳該不會不想跟我結婚,想要始亂終棄吧?這不行啊,妳會被警察抓去關。」

「你可不可以不要一張嘴就胡說八道!哪個男朋友像你這樣,隨隨便便就跟女朋友說要結婚,連戒指都沒買,還敢誣賴我始亂終棄?欠打嗎你!」

「所以我買了戒指,妳就願意嫁給我?」

「你是在跟我玩文字遊戲嗎？」重點不是戒指，是他太隨便了。

但一直跟我保持不同頻率的麻清栩，才不管我有多生氣，他瞬間爬下床，再度走到衣櫃，從中拿出他先前向我展示的白色西裝，俐落地套在絲綢睡衣外側。

「你……你幹麼？」看他這詭異的舉動，我也忍不住坐正。

他轉過身，走到床邊，單腳跪地，收起了嘻皮笑臉，有點嚴肅地回答：「跟妳求婚呀。」說完，他像是變魔術，從手掌變出一只造型簡約的金戒指。

別人的都是鑽戒，而我的……就是與眾不同。

「黃金在地殼的平均濃度只有十億分之四，比鑽石還要稀有，不僅保值，更有升值的空間。」

我不覺得甜蜜，反而下意識吐槽：「你確定要在跟我求婚的時候，科普黃金的稀有度嗎？」

「我是擔心妳誤會我對妳不用心啊。會買這個金戒指，是想告訴妳，妳是我獨一無二的存在，是朋友、情人和家人的多重關係。如果妳願意，能不能跟我一起組成一個不大，卻能容納妳與我的家？我會努力成爲妳永遠的容身之地。」

麻清栩高舉著戒指，衣著雖然怪異，表情卻讓我無法質疑他的認眞。

我張開嘴，停頓了幾秒鐘，才發自內心地問：「你打從一開始，就想在床邊跟我求婚？」

他大概沒料到我會問他這件事，有些尷尬地抓著後腦杓，「也不是……原本我計劃訂一間西餐廳，等妳吃完晚餐再求婚的。這樣是不是比較浪漫啊？我……我會……」

「好險你沒這麼做。」說完，我自動自發地將手指套入戒指裡，「要是你當眾求婚，我怕會困窘到逃出餐廳。」

戒指很貼合我的手指，在暈黃的燈光下，微微閃爍。

「麻清栩，你終於做了一件我不想吐槽你的事了。你的呢？我幫你戴上。」

「我的在這兒。」麻清栩從另一個口袋掏出屬於他的戒指。

一樣是金色的，仔細一看，環內刻著「FKF」三個英文字。用腳趾想都知道這是我名字的英文簡寫。

我抿起雙唇，突然間，有了想哭的衝動，眼眶都熱了起來。

「妳是不是要哭啊？」

麻清栩依然故我，破壞氣氛是他的看家本領，別人根本望塵莫及。

「不要哭啊，妳再不幫我戴上，我才要哭。」

被他這麼一鬧，我也不想哭了，一邊念：「誰哭了？我才沒哭。」一邊粗魯地替他戴上金戒指。

俗是俗了點，但帶有滿滿的心意。我希望他在我的愛與包容下，一輩子都不需要學習什麼新花樣，又土又俗，又純眞又快樂。

「麻清栩。」

一眨眼，他已經把熱得要死的白色西裝掛回衣櫃裡，爬回床上，準備摟著我睡覺。

聽見我叫他，立即停止動作，可憐兮兮地問：「妳該不會眞要我學狗爬吧？」

……我眞的要被他氣笑，怎麼傻成這樣？

「不是，我沒有要你爬。」

「那妳喊我做什麼？」他躺在我的身邊，用閃亮亮的眼睛看著我。

「我是想告訴你……我也會用各種不同的身分，永遠愛你。」

永遠，愛著我心甘情願守護的小王子。然後，一起過著幸福快樂的生活。

得到我眞誠告白的麻清栩，從人類突變成野狼，獸性大發地壓著我，做著兒童不宜的事。

隔天早上，麻清栩沒有跟簡伯亞去探訪客戶，也沒有去訂製西裝，他纏著我，非要我跟他去戶政事務所登記結婚。

我問他幹麼這麼急，他不知從哪得到的消息，說喜事不能拖，拖了喜事就辦不成。還說我不想辦婚禮，遲早都要登記，那他就要以最快的速度執行，以免我腦子清醒後反悔。

不是……他到底對我有多少質疑呀，都說要嫁給他了，還這麼多毛，難道是奇異果？

「女人心，海底針。妳現在是向著我，難保妳隔天不會有新歡。」

深呼吸，吐氣。與麻清栩在一起的每一天，無時無刻都在鍛鍊脾氣與耐心。

反正如同他所說的，已經收下金戒指的我，逃不開被他一步步推進愛情的墳墓。

於是，我們換上白襯衫和牛仔褲，等照相館一開門，進去拍了兩張照。照片中的我們肩並著肩，十指交扣，嘴角微微上揚。

沒有婚紗，也沒有奇怪的姿勢和布景，就這樣，我們完成了結婚紀念照。在結束拍攝的一個小時後，我的手中除了有洗出來的照片，還有登記結婚所換發的新身分證。

過程平淡，卻刻骨銘心。

「我的身分證後面有妳的名字耶。」麻清栩開心地反覆端詳。

「我的身分證後面也有你的。」

配偶：麻清栩。

簡單的一行字，代表我們擁有新的身分，是法律保障認可的伴侶。

「我們……是不是要打電話通知我爸媽和妳媽？妳覺得，我們這種行爲，算不算先斬後奏？」

「呵，你覺得呢？」我的頭早就不知道被斬到哪裡去了。

「我爸媽是不會介意啦，但妳媽那裡，還是等她結完婚再跟她講？」

事到如今，好像也只能這樣了，我實在是做不到，在我媽和周叔叔努力籌備婚禮的時候，跟她通知我一早和麻清栩草率登記結婚的消息。

大概會被罵到臭頭，連頭都抬不起來的那種。

「我才不跟她講，你去！」

說完，我走向戶政事務所旁的公車站牌，準備搭公車回工作室——爲了跟麻清栩登記，我跟主管請了兩小時的假。

麻清栩跟在我後面，一會看著新的身分證傻笑，一會又不知道想起什麼，愁眉苦臉的樣子，滑稽到好笑。

他快步追上我，拉起我的手，像個小朋友一樣，晃啊晃。

「欸老婆，妳覺得我們什麼時候去度蜜月？還有妳想去哪裡？」

我的心跳因爲他叫的一聲「老婆」而漏了一拍。想罵他，又發現他其實沒叫錯，我啊，已經跟這個人結婚了。

「現在又不能出國，還能去哪兒？其實我哪裡都不想去，只想跟你待在家裡，吃東西、看電影，悠悠哉哉過一整天。」

麻清栩笑得很開心，「這種事，我們往後的幾十年都可以做啊。既然妳沒有想去的地方，那度蜜月就去我想去的地方吧。」

「你想去哪兒？」

「祕密。等我安排好了，再跟妳說。」

❀

兩天後的週末，麻清栩開著他的休旅車，爬過蜿蜒的山路，載我到大學時期一起來過的露營地。

這邊的每個帳棚都是固定好的，設施比印象中還要充足，顯然有重新翻修過。

「你想在這裡度蜜月啊？」一下車，聞著新鮮的空氣，感覺備受城市空汙折磨的肺，得到了滋潤。

我伸了一個懶腰，而麻清栩則在我做這個動作時，走到我的身邊，親吻我的嘴角。

「你幹麼？」

面對我困窘的問題，麻清栩游刃有餘地說：「我在度蜜月啊。」

原本清新的空氣，在一瞬間變得清甜。只要眼神交織，便會感到全身酥麻，像是觸電一般。

就這樣小鹿亂撞、無所事事地熬到夜晚。

吃過晚餐後，氣溫驟降，麻清栩等我盥洗完畢，立即爲我披上羊毛毯，自己也披了一條。

不急著回帳棚睡覺，因爲滿天的星空和獨掛夜空的明亮月亮，讓我們捨不得闔上眼。

「我很喜歡這個地方，也很討厭這個地方。」

對於麻清栩矛盾的話，我疑惑地問：「爲什麼討厭？」

「大三，我們不是來過這裡嗎？那時候我打算再跟妳告白一次。可是我沒想到自己酒量會那麼差，酒品也一言難盡，搞到最後什麼計劃都無法執行，還非常擔心惹妳生氣。」

受到醉鬼麻清栩殘害的我，只能仰天長嘆。但比起這個，我更想吐槽：「什麼叫『再』告白一次？你第一次根本就沒告白！」

麻清栩以一種詭異的姿勢，硬要把頭靠在我的肩膀上，毫不示弱地回嘴：「我有要告白！是妳當時誤會我，急忙跟我劃清界線。」

「是你跟葉凱娣太親密，才會讓我誤會耶！」

「我跟她親密？一直以來，跟我最親密的人就是妳了，妳怎麼不誤會我跟妳，偏偏要誤會我跟她？」

要論翻舊帳，我們誰都不會輸對方。翻到面紅耳赤，卻又忍不住想笑。

那些誤會、猜疑與曲折，全部都過去了。

「……眞好啊，還能這樣鬥嘴。」曾經以爲絕不可能的幸福，至今已牢牢掌握在手中。

「是啊，眞好。」

我別過頭，趁他不注意，當了一次採花大盜，親吻他的嘴角。

他愣了一秒，隨即不甘示弱，把我的頭擺正，與我交換一個綿長細緻的吻。

這一刻，星空與孤月，都不及麻清栩璀璨。

而我們的眼中，也只能看見──彼此。

番外
一加一的愛大於三

「小方姐，有人找妳哦。」

度完蜜月的兩天後，重新回到了工作崗位。由於前幾天太過放縱，導致我精神渙散到毫無效率可言，好不容易熬到午休時間，工讀生茶茶跑過來，指著門口說：「是一位姓周的先生。」

我眨眨眼，過了三秒才意識到有可能是誰來找我。

「周叔叔，你怎麼來了？」當我快步走向門口，隨即看見一臉侷促的周叔叔。

他對著我露出靦腆的笑容，還小幅度地揮手，「小翡，好久不見。妳吃飯了嗎？如果還沒吃的話，可不可以借用妳一點點時間？」

當然是可以的，我沒有任何拒絕的理由。

我匆匆忙忙回辦公桌拿錢包，再與周叔叔一起搭電梯下樓。我問他想吃什麼，他說選我要吃的就好。

「那就吃合菜吧。」在工作室附近，有一家味道還不錯的潮州菜餐廳。平時我不會刻意去吃，但今天有長輩，選這家最保險。

周叔叔沒意見，在我的帶領下抵達了餐廳。我特別跟服務生要了一間包廂，方便我們談話。

點好菜、坐定位，我看著周叔叔，周叔叔看著我，氣氛頓時有些尷尬。

「……抱歉，我知道我突然來，讓妳很錯愕。」又過了好一陣子，周叔叔率先打破了沉默。

「沒有沒有，你來找我，我很高興。」說實話，我幾乎沒有跟男性長輩和善相處的經驗，所以還眞的不知道該怎麼辦。可我不能夠跟周叔叔坦誠，就怕他多想，之後相處得更彆扭。

「是嗎？那太好了。」周叔叔說完，立即喝了一大杯水，模樣看起來一點都不好，「今天，我會突然來打擾妳，是有件事情……」

「什麼事？」如果周叔叔跟我說，他突然不想和我媽結婚了，我恐怕會直接拿水潑他。

「雖然現在說有點太晚，但我希望，妳能夠給我好好照顧妳媽的機會！」

好險，水不用潑了。周叔叔的爲人，比我想像得還要誠懇。

「我知道，我介入了妳們母女的生活，妳可能會很排斥我，不過我——」

「是有點不適應，但我沒有排斥你。」我趕忙否認。

周叔叔的眼眶瞬間通紅，小心翼翼地說：「妳不必跟我說客套話。其實我心裡清楚，自己的行爲對妳造成的衝擊肯定不小，而我沒有做得更好、更完善……」

我停頓了幾秒，思考著該如何表達，才能夠讓周叔叔明白，我眞的沒有那麼想。

「叔叔，你跟我媽結婚後，我應該要喊你爸爸吧？」

面對我強行轉移的話題，周叔叔又愣住了，「我……妳……妳如果不願意的話，也可以繼續喊我叔叔。」

「其實我已經超過二十年，沒有喊過爸爸了，你知道爲什麼嗎？」

「是因爲方仰德那個畜——對不起，我失態了。」

「叔叔說得沒錯，是因爲方仰德太過畜生。那你知道，爲什麼我在某一天，突然不喊他了呢？」

周叔叔搖頭。這件事，除了我自己，沒有人知道。

「在我小的時候，方仰德垃圾歸垃圾，但我還沒有那麼討厭他，或許是血緣關係驅使我想跟他靠近，我始終對他抱持著難以言喻的期望。我希望他能浪子回頭，帶給媽媽和我幸福。直到有天放學回家，我透過門縫，看見他把我媽打在地上，一邊打一邊罵，罵完了就脫下褲子，還想掀我媽的裙子……」

我知道這些話我不該跟周叔叔說，要假裝什麼都沒發生過，或許才是正確的選擇。但事情不是沒發生，那些傷害眞實地在我媽身上留下難以抹滅的印記。

「我媽一抵抗，方仰德就很生氣，拿著竹棍子繼續打……」我抬起頭，看著周叔叔漸漸蒼白的面容，很擔心他會崩潰，可長痛不如短痛，如果他眞的會介意，代表他完全不適合我媽，不如好聚好散，「從那一天起，我不再叫他『爸爸』，而我媽也很少回家，一直待在醫院工作。」

「我之前都……不曉得這些。」

我苦笑著繼續說：「我總是疑惑，醫院的工作有那麼忙嗎？忙到她沒有時間回家來看我。理智上，我明白她是在躲方仰德；情感上，卻很難接受。我想她，想念媽媽的懷抱，而我的童年，什麼都沒有。」

藏在陰暗面，不斷腐爛的肉，終有一天，會被全部割去，然後消毒乾淨。

「漸漸開始有互動，是我被方仰德強暴未遂，她很後悔把我丟在家裡不聞不問，所以想加倍對我好，可我們都很清楚，隔閡並不容易消除。我與她，是血濃於水，是相依爲命，但我們都是孤獨的……兩個孤獨的人，沒辦法給對方更多的溫暖。」

太多情緒糾纏在一起，我還沒哭，對面的周叔叔卻已哭得一把鼻涕一把眼淚。

我垂下頭，輕聲說：「當我在醫院看到你堅定向我媽告白，我就想著，如果方仰德沒有出現，是你一直守護我媽，那有多好。如果……你是我爸爸，我們的過去，應該就不會那麼悲慘了吧。」

再抬頭，望見對面的周叔叔不再流淚，只是瞠大雙目，定睛看著我。

我愣了一下，抿了抿脣，「對不起，我……說得太多了，是不是讓你的心裡有疙瘩？」

「沒有！」大概是發現自己喊得太大聲，周叔叔不好意思地縮起肩膀，壓低音量解釋：「我沒有疙瘩，我是心疼妳們。我……我想當妳的爸爸，妳如果願意，我就是妳的爸爸。妳放心，我會信守承諾，會好好照顧妳媽媽下半輩子的人生。我最後悔的，是當初讓方仰德帶她走……讓她吃那麼多苦。」

得到了周叔叔的保證，我鬆了一口氣，乾啞著嗓音「嗯」了一聲。

「我很感謝妳願意跟我說這麼多……我就是怕妳不願意接受我，認爲我不該舉辦婚禮……」看著周叔叔抹去臉上的淚痕，我的心也酸酸的。

「怎麼會？我知道你堅持要舉辦婚禮，是想圓我媽年輕時，因方仰德而碎裂的夢想。我會永遠支持你的……爸。」

周叔叔——不，他現在已經是我認可的爸爸了。

聞言，他終究忍不住，垂著頭又流下淚來。而我也悄悄拭去眼角快溢出的淚水。

一加一的愛，會大於三。

從今以後，媽媽擁有我們的愛，絕對會過得更加幸福。

週末，媽媽穿上了華麗的白紗，新娘房內，我站在她身後，替她整理儀容。

「客人們都到了嗎？」雖是再婚，可我媽也是第一次舉辦婚禮，看起來很緊張。

「嗯，都來了，就等妳出場呢。」我一說完這句話，新祕正好敲門，通知我們準備進場。

媽媽緩緩地站起來，挽著我的手臂，當我要推開門時，她突然說：「對不起。」沒說前言，沒說後語，我卻明白她想表達的意思。

「沒關係，只要媽妳能夠幸福，過去的種種，都沒關係。」轉過頭，看著化著淡妝的媽媽，我露出安撫的微笑，「我已經長大了，不再是需要妳護著的小女孩。現在，我只希望妳能夠與對的人，攜手度過下半生。」

——對不起，在妳需要我的時候，沒有陪在身邊。把妳丟在家裡，獨自面對。

我知道我媽想對我說這些話，可這些都不重要了，這是我對自己的和解，也是對我媽的和解。

「不要哭啊，要笑。今天妳一定要笑得比任何人還要開心。」

於是我媽努力微笑著，與我肩並著肩，一步步往前邁進。

別人結婚是父親牽著女兒，可我們與眾不同，是女兒牽著媽媽，準備迎接新的家人。

華麗的大門向兩側打開，得到我認可的新爸爸，渾身僵硬地站在紅毯的最末端。

他們選擇的是戶外婚宴，和煦的陽光，正撒在爸爸的身上。

我湊到她的耳邊，小聲說：「媽，妳看，爸爸比妳還要緊張。」

我媽聞言，一臉詫異地看向我。

「謝謝妳，讓我有一個能夠依靠的爸爸。」

我媽停下了腳步，在眾目睽睽下，側過身把我緊緊抱住。

我早已淚眼汪汪，卻還顧及著我媽臉上的妝不能花。

「妳不要哭哦……記得不要哭。」

「謝謝妳，我的寶貝女兒。」

比起「對不起」，我果然更喜歡聽到「謝謝妳」。

「走吧，爸爸等不及了。」我們鬆開彼此，再度往前邁進。

最終，抵達爸爸的面前，我將媽媽的手放入他的手掌心，微笑地對著他們說：

「祝福你們，百年好合。」

接著，我默默退到觀禮席，坐在事先替我預留的位子。麻清栩正在舞台的左側擔當司儀，對著我擠眉弄眼，瞬間消散了我的憂愁。

「好久不見。」

當爸爸媽媽在台上宣示誓言時，一道熟悉的聲音從背後傳來。

我疑惑地轉身，發現是鍾子鳴坐在我的正後方。

我不會傻到問他怎麼會出現在這裡，因爲鍾子鳴曾是陳阿姨想要介紹給我的相親對象，所以有可能互相認識，出現在這也不足爲奇。

「好久不見。」原本我以爲再次與鍾子鳴見面會很尷尬，但此刻他身旁坐著一個模樣靦腆溫柔的女孩，看到這一幕，我就放心了。

轉過身繼續觀禮，嘴角卻忍不住上揚——眞好，每個人都找到自己的幸福。

爸爸和媽媽交換完戒指，在陽光的沐浴下，互相親吻。

結束一連串的儀式，麻清栩用麥克風對在場賓客說：「現在，請各位來賓到台前，和新郎新娘一起拍大合照。」

我立即迎向前，站在我媽的左側，並對著麻清栩招手，要他快點過來。

「大家看這裡！」婚禮攝影師對著眾人喊：「我數到三就拍嘍！笑開心一點唷！」

麻清栩趕到我身邊，緊握住我的手。

「一、二、三！」隨著照相機喀嚓的聲音響起，每個人臉上燦爛的笑容，都被記錄在照片中。

或許在未來的十年、二十年……好多好多年後，照片會漸漸泛黃，不過，我們腦海中的記憶卻不會褪色。

這年夏天，我與我最愛的人們，攜手迎接最美好的幸福。

番外完

後記

歡樂的小星球

寫這篇後記的時候，我人在台東的某間飯店，跟家人們進行環島旅行。

我思考了很久，想著後記該寫什麼才好。不知不覺，我寫小說的年資隨著年紀的增長，突破了個位數。

早些年，每寫完一本書就會歡天喜地，用一大堆零零散散的後記，當作我與那本書的告別。近年來這種「熱情」漸漸消失，長篇的後記變成簡單的感謝，感謝幫助我寫作的朋友們，也感謝閱讀的讀者們。神奇的是，我依然在寫小說，默默創造出一個個歡樂的小星球。

寫作好像是我生活的一部分，是一種消遣，更是一種排解。

對於我來說，主角們好像都是現實中的人，只是藉由我，把他們相愛的故事記錄下來。

可翡和小栩也是一樣的。在我寫完任先生後，我開始以這部作品銜接連載，但原先的劇情設定得太嚴肅、可馡的個性更加內向拘謹，導致我寫得異常痛苦，沒連載幾天就被我丟到一旁，完全棄坑。

算一算坑的時間，大概三四年了吧，直到今年一月，我跟朋友聊天，突然靈光乍現，想到了這對被我禁足在冷宮的苦命鴛鴦，決定重新振作，把這個巨大的坑給填平。

既然決定要寫，那我想把主角們寫得很逗趣。於是可馡成爲了有點好強、執拗卻很善良的女主，她的人生太苦了，苦到吐槽麻清栩是她生活的唯一樂趣。好在麻清栩也知道這一點，總是用比較弱智的方式跟她相處，討她開心。

麻清栩看起來粗枝大葉，實際上比誰都要細心。因爲對可馡一見鍾情，會處處留意她的狀況，所以才即時發現可馡身處於絕境之中，給予最適當的幫助。

他們都是很好的人，縱使很喜歡對方，仍然不希望給對方造成任何困擾。長達十多年都在猶豫是否告白，拖拖拉拉，還是敵不過喜歡對方的心，逐漸靠在了一起。

在寫這個故事的過程一直都很開心，彷彿能從中得到許多元氣，也希望大家透過可馡和小栩，擁有一整天的好心情。

最後不免俗的再次感謝我周遭的所有人。

感謝編輯Yuli，給予我在劇情上的建議，讓我裁去細碎的枝微末節，減少糾結的感情線，在整體的閱讀上更加流暢。

感謝朋友蔣蔣，三不五時聽我各種腦洞，每當我寫了一個段落，就會幫我看寫得好不好，哪裡比較不足。也謝謝妳包容我的倔脾氣，畢竟一直以來我都是毛很多的奇異果，這十年來，妳也眞不容易。

感謝小編淯庭，除了聽我的腦洞，還要幫我貼文，跟驗證碼大戰三百回合，簡直是我的超級英雄。

最後，謝謝在我連載這本書的時候，不斷留言的Jacky，雖然我沒有說，但你的留言是我想繼續連載到完結的動力。

謝謝所有閱讀此書的你們。

希望我們下本書再見。

2022.06.14 好象熊

國家圖書館出版品預行編目資料

桃花朵朵 / 好象熊著. -- 初版. -- 臺北市 ： 城邦原創股份有限公司出版：英屬蓋曼群島商家庭傳媒股份有限公司城邦分公司發行, 民 111.07
面；公分. --

ISBN 978-626-96192-8-3（平裝）

863.57　　111010331

桃花朵朵

作　　者／好象熊
企畫選書／楊馥蔓
責任編輯／簡尤莉、吳思佳
行銷業務／林政杰
版　　權／李婷雯

網站運營部總監／楊馥蔓
副總經理／陳靜芬
總 經 理／黃淑貞
發 行 人／何飛鵬
法律顧問／元禾法律事務所　王子文律師
出　　版／城邦原創股份有限公司
台北市中山區民生東路二段 141 號 6 樓
電話：(02) 2509-5506　傳眞：(02) 2500-1933
E-mail：service@popo.tw
發　　行／英屬蓋曼群島商家庭傳媒股份有限公司城邦分公司
聯絡地址：台北市中山區民生東路二段 141 號 11 樓
書虫客服服務專線：(02) 25007718・(02) 25007719
24小時傳眞服務：(02) 25001990・(02) 25001991
服務時間：週一至週五09:30-12:00・13:30-17:00
郵撥帳號：19863813　戶名：書虫股份有限公司
讀者服務信箱 email：service@readingclub.com.tw
城邦讀書花園網址：www.cite.com.tw
香港發行所／城邦（香港）出版集團有限公司
地址：香港灣仔駱克道 193 號東超商業中心 1 樓
email：hkcite@biznetvigator.com
電話：(852)25086231　傳眞：(852) 25789337
馬新發行所／城邦（馬新）出版集團 Cité(M)Sdn. Bhd.
41, Jalan Radin Anum, Bandar Baru Sri Petaling,
57000 Kuala Lumpur, Malaysia.
電話：(603) 90578822　傳眞：(603) 90576622
email:cite@cite.com.my

封面設計／Gincy
電腦排版／游淑萍
印　　刷／漾格科技股份有限公司
經 銷 商／聯合發行股份有限公司
電話：(02)2917-8022　傳眞：(02)2911-0053

■ 2022 年（民 111）7月初版　　Printed in Taiwan

定價 / 300元

ISBN　978-626-96192-8-3